Jean-Paul Dubois est né en 1950 à Toulouse où il vit actuellement. Journaliste, il commence par écrire des chroniques sportives dans *Sud-Ouest*. Après avoir suivi la justice et le cinéma au *Matin de Paris*, il devient grand reporter en 1984 pour *Le Nouvel Observateur*. Il examine au scalpel les États-Unis et livre des chroniques qui seront publiées dans *L'Amérique m'inquiète* (1996) et *Jusque-là tout allait bien en Amérique* (2002). Écrivain, Jean-Paul Dubois a publié de nombreux romans (*Je pense à autre chose, Si ce livre pouvait me rapprocher de toi*). Il a obtenu le prix France Télévisions pour *Kennedy et moi* (1996), le prix Femina et le prix du roman Fnac pour *Une vie française* (2004) ainsi que le prix Alexandre-Vialatte pour *Le Cas Sneijder* (2012). En 2019, Jean-Paul Dubois a reçu le prix Goncourt pour *Tous les hommes n'habitent pas le monde de la même façon*.

Jean-Paul Dubois

TOUS LES HOMMES N'HABITENT PAS LE MONDE DE LA MÊME FAÇON

ROMAN

Éditions de l'Olivier

TEXTE INTEGRAL

isbn 978-2-7578-6433-3

À Hélène,
À Tsubaki, Arthur et Louis.
À Vincent Landel, qui me manque.
À la mémoire de Jean-Michel Tarascon et Michel Ramonet.
Toute ma tendresse à Geneviève, Claire et Didier.
Mes profonds remerciements à Serge Asselin
pour son aide amicale et sa précieuse expertise.
Mon affection à Frédéric, et longue vie à Oïta.
Mon attachement à Pascal, gentleman boréalien
et Guy, side-cariste transcanadien.

« Tout cela fait penser à la suite des jours à laquelle rien n'a donné forme ni direction, que rien n'habite ni n'anime et dans laquelle rien ne fait sens. »

ROSALIND KRAUSS

« Fallait que j'oublie cette journée. Perdu dix dollars au champ de courses aujourd'hui. Quelle chose inutile. Ferais mieux de me fourrer la queue dans une crêpe au sirop d'érable. »

Charles BUKOWSKI, *Sur l'écriture*

La prison de la rivière

Il neige depuis une semaine. Près de la fenêtre je regarde la nuit et j'écoute le froid. Ici il fait du bruit. Un bruit particulier, déplaisant, donnant à croire que le bâtiment, pris dans un étau de glace, émet une plainte angoissante comme s'il souffrait et craquait sous l'effet de la rétraction. À cette heure, la prison est endormie. Au bout d'un certain temps, quand on s'est accoutumé à son métabolisme, on peut l'entendre respirer dans le noir comme un gros animal, tousser parfois, et même déglutir. La prison nous avale, nous digère et, recroquevillés dans son ventre, tapis dans les plis numérotés de ses boyaux, entre deux spasmes gastriques, nous dormons et vivons comme nous le pouvons.

Le pénitencier de Montréal, dit de Bordeaux pour avoir été construit sur l'ancien territoire d'un quartier éponyme, est situé au numéro 800 du boulevard Gouin Ouest, à la lisière de la rivière des Prairies. 1 357 détenus. 82 mis à mort par pendaison jusqu'en 1962. Autrefois, avant que l'on édifie cet univers de contention, l'endroit devait être magnifique, avec ce qu'il fallait de bouleaux, d'érables, de sumacs vinaigriers et d'herbes hautes couchées par les passages des animaux sauvages. Aujourd'hui, les rats et les souris sont les seuls survivants de cette faune. Et puisque telle est leur nature peu regardante, ils ont repeuplé ce monde clos fait de souffrance encagée. Ils semblent parfaitement s'accommoder de la détention et leur colonie n'a cessé de s'étendre dans toutes les ailes des bâtiments. La nuit, on entend distinctement les rongeurs œuvrer dans les cellules et les couloirs. Pour leur barrer l'accès, nous glissons des journaux roulés et de vieux vêtements sous les portes ou devant les trappes d'aération. Mais rien n'y fait. Ils passent, se glissent, se faufilent et font ce qu'ils ont à faire.

Le type de cellule dans laquelle je vis est surnommé un « condo », ce qui veut dire un « appartement ». Si l'on a affublé cet espace de ce vocable ironique, c'est parce qu'il est doté d'une surface légèrement supérieure au modèle standard, lequel parvient à comprimer ce qui reste en nous d'humanité dans quelque 6 mètres carrés.

Deux lits superposés, deux fenêtres, deux tabourets scellés au sol, deux tablettes, un lavabo, un siège de toilette.

Je partage cet enclos avec Patrick Horton, un homme et demi qui s'est fait tatouer l'histoire de sa vie sur la peau du dos – *Life is a bitch and then you die* – et celle de son amour pour les Harley Davidson sur l'arrondi des épaules et le haut de la poitrine. Patrick est en attente de jugement après le meurtre d'un Hells Angel appartenant au chapitre de Montréal, abattu sur sa moto par ses amis qui le soupçonnaient de collaborer avec la police. Patrick était accusé d'avoir participé à cette exécution. Eu égard à ses intimidantes proportions et à son appartenance à cette mafia des motocyclettes possédant un superbe catalogue de meurtres et d'assassinats à son actif, tout le monde s'écarte respectueusement devant Horton comme s'il s'agissait d'un cardinal lorsqu'il déambule dans les couloirs du secteur B. Connu pour partager l'intimité de sa cellule, je jouis dans son sillage du même respect que ce drôle de nonce.

Cela fait deux nuits que Patrick gémit durant son sommeil. Il souffre d'une dent et ressent les élancements caractéristiques d'un abcès. Il s'est plaint de cette douleur à plusieurs reprises auprès du gardien qui lui a finalement fait porter du Tylenol. Quand je lui ai demandé pourquoi il ne se faisait pas inscrire sur la liste d'attente du dentiste, il m'a dit : « Jamais. Si tu souffres d'une dent, ici ces fils de pute ne te soignent pas la dent, ils te l'arrachent. Si tu souffres de deux dents, c'est pareil, ils t'arrachent les deux. »

Nous cohabitons depuis neuf mois et les choses se passent plutôt bien. Une communauté de destin fantaisiste nous a fait arriver ici à peu près en même temps. Très vite, Patrick a voulu savoir avec qui il allait devoir partager tous les jours sa cuvette de toilette. Alors je lui ai raconté mon histoire, loin de celle des Hells qui contrôlaient la totalité du trafic de drogue de la province et n'hésitaient pas à déclencher des guerres pétaradantes comme celles qui firent 160 morts au Québec entre 1994 et 2002 lorsqu'ils affrontèrent leurs ennemis ancestraux, les Rock Machines, eux-mêmes absorbés ensuite par les Bandidos qui, de leur côté, n'usurpaient en rien leur dénomination au point de connaître, à leur tour, quelques déboires puisque l'on retrouva huit cadavres, tous membres du gang, négligemment dispersés dans quatre voitures garées côte à côte et immatriculées en Ontario.

Quand Patrick apprit la raison de mon enfermement, il s'intéressa à mon histoire avec la bienveillance d'un compagnon du Devoir prenant connaissance des premières tentatives maladroites de son apprenti. Lorsque j'eus terminé mon modeste récit, il se gratta le lobe de l'oreille droite dévoré par un eczéma rougeoyant. « À te voir, je croyais pas que t'étais capable d'un truc pareil. T'as bien fait. C'est sûr et certain. Moi, je l'aurais tué. »

Peut-être était-ce après tout ce que j'avais voulu faire et, selon les témoins, c'est sans doute l'acte que j'aurais commis si six personnes résolues ne s'étaient alliées pour me maîtriser. En vérité, hormis ce que l'on m'a raconté, je ne garde en mémoire que quelques images concernant l'incident lui-même, mon esprit semblant avoir opéré un choix sélectif avant mon réveil dans la salle de l'unité des urgences.

« Putain oui je l'aurais tué cette merde. Ces mecs-là faut les ouvrir en deux. » Ses doigts fouillaient toujours son oreille en feu et il se balançait lourdement d'un pied sur l'autre. En proie à une colère illisible, Patrick Horton semblait prêt à traverser les murs pour terminer le travail que j'avais à la fois entamé et, d'une certaine façon, bâclé. En le voyant ainsi rugir, gratter sa peau enflammée, je pensais à ce moment-là à cette notation de l'anthropologue Serge Bouchard spécialiste des cultures amérindiennes : « L'homme est un ours qui a mal tourné. »

Winona, ma femme, était une Indienne Algonquine. J'avais beaucoup lu Bouchard pour apprendre d'elle. Je n'étais encore qu'un Français au pied lourd ignorant à peu près tout des astuces de la tente tremblante, des règles mystiques de la suerie, de la légende fondatrice du raton laveur, de la raison pré-darwinienne selon laquelle « l'homme descend de l'ours » et de l'histoire qui raconte pourquoi « le caribou est taché de blanc seulement sous la bouche ».

À cette époque, la prison n'était encore pour moi qu'un concept théorique, une facétie de jeux de dés vous enjoignant de passer votre tour enfermé dans la case pénitentiaire du Monopoly. Et ce monde fagoté d'innocence semblait bâti pour l'éternité, tout comme mon père, le pasteur Johanes Hansen, occupé à faire vibrer le cœur des hommes et les roues phoniques d'un orgue Hammond dans sa paroisse protestante noyée sous des averses d'amiante bénite ; comme Winona Mapachee et sa douceur algonquine, arrondissant ses virages aux commandes de son avion taxi Beaver pour poser en douceur clients et flotteurs au fil de l'eau de tous les lacs du nord ; comme ma chienne Nouk qui venait à peine de naître et semblait me considérer de ses grands yeux noirs comme le commencement et la fin de toutes choses.

Oui, j'aimais ce temps, déjà lointain, où mes trois morts étaient encore en vie.

Je voudrais tant trouver le sommeil. Ne plus entendre les rats. Ne plus sentir l'odeur des hommes. Ne plus écouter l'hiver au travers d'une vitre. Ne plus devoir manger du poulet brun bouilli dans des eaux grasses. Ne plus risquer d'être battu à mort pour un mot de trop ou une poignée de tabac. Ne plus être contraint d'uriner dans le lavabo parce que, après une certaine heure, nous n'avons plus le droit de tirer la chasse d'eau. Ne plus voir, tous les soirs, Patrick Horton baisser son pantalon, s'asseoir sur la lunette et déféquer en me parlant des « bielles entrecroisées » de sa Harley qui au ralenti « tremblait comme si elle grelottait ». À chaque séance, il œuvre paisiblement et s'adresse à moi avec une décontraction confondante qui donne à penser que sa bouche et son esprit sont totalement découplés de sa préoccupation rectale. Il n'essaye même pas de moduler ses flatulences d'effort. Tout en finissant ses affaires, Patrick continue de m'éclairer sur la fiabilité des derniers moteurs désormais montés « sur des Silentbloc dits isolastic », avant de réajuster ses braies comme un homme qui a fini sa journée, et d'étaler sur la cuvette un linge immaculé censé tenir lieu d'abattant et qui sonnait un peu pour moi à la fois comme la fin d'un office et un *Ite missa est*.

Fermer les yeux. Dormir. C'est le seul moyen de sortir d'ici, de laisser les rats derrière soi.

L'été, en me plaçant dans l'angle de la fenêtre de gauche, je pouvais apercevoir les eaux de la rivière des Prairies filant à toute vitesse vers l'île Bourdon, l'île Bonfoin et le fleuve Saint-Laurent qui les accueillait et les ensevelissait à la fois. Mais cette nuit, rien. La neige colmatait tout, même le noir.

Patrick Horton ne le savait pas mais il arrivait que, vers ces heures-ci, Winona, Johanes ou encore Nouk viennent me visiter. Ils entraient, et je les voyais aussi distinctement que je pouvais détailler toute la misère incrustée dans cette pièce. Et ils me parlaient, et ils étaient là, au plus près de moi. Depuis toutes ces années où je les avais perdus, ils allaient et venaient dans mes pensées, ils étaient chez eux, ils étaient en moi. Ils disaient ce qu'ils avaient à dire, faisaient leurs affaires, s'efforçaient d'arranger le désordre de ma vie et toujours trouvaient les mots qui finissaient par me conduire vers le sommeil et la paix du soir. Chacun à sa façon, dans son rôle, ses attributions, m'épaulait sans jamais me juger. Surtout depuis que j'étais en prison. Pas plus que moi, ils ne savaient comment tout cela était arrivé, ni pourquoi tout avait basculé si vite en quelques jours. Ils n'étaient pas là pour déterrer l'origine du malheur. Ils s'efforçaient seulement de reconstituer notre famille.

Les premières années, j'avais eu énormément de difficulté à accepter l'idée de devoir vivre avec mes morts.

D'écouter la voix de mon père sans broncher comme quand j'étais enfant, que nous habitions à Toulouse et que ma mère nous aimait. Pour Winona, le trouble se dissipa très vite tant elle m'avait préparé à la légende de cet infra-monde algonquin à l'intérieur duquel se côtoyaient les vivants et les morts. Elle disait souvent qu'il n'y avait rien de plus normal que d'accepter ce dialogue avec les défunts qui vivaient désormais dans un autre univers. « Nos ancêtres poursuivent une autre existence. Et si on les enterre avec tous leurs objets c'est pour qu'ils puissent, ailleurs, poursuivre aussi leurs activités. » J'aimais bien la fragile logique de ce monde bricolé d'espérance et d'amour. On expédiait ces outils attachés à leurs propriétaires défunts et censés pouvoir fonctionner, pour peu qu'ils fussent électriques, sur tous les voltages et toutes les prises secteurs des mondes invisibles. Quant à Nouk, ma chienne, qui savait tout du temps, des hommes et des lois de l'hiver, qui nous lisait à livre ouvert, elle venait simplement s'allonger près de moi comme elle l'avait toujours fait. Sans l'intercession de chamans, faisant seulement confiance à la mémoire de mon odeur, elle m'avait retrouvé. Après avoir fait un tour dans les ténèbres, elle était simplement rentrée chez elle et s'était couchée près de moi, poursuivant ainsi notre vie commune là où nous l'avions laissée.

J'ai été incarcéré à la prison de Bordeaux le jour même de l'élection de Barak Obama, le 4 novembre 2008. Ce fut pour moi une longue et éprouvante journée avec mon transfert au tribunal, l'attente dans les couloirs du palais, ma comparution devant le juge Lorimier qui, malgré un interrogatoire plutôt bienveillant, semblait n'avoir en tête qu'une foule de préoccupations personnelles, la plaidoirie fantomatique de mon avocat dépressif qui m'appelait « Janssen », m'inventait un « lourd passif psychiatrique », donnait l'impression de découvrir mon dossier ou de plaider celui d'un autre, l'attente du verdict, son énoncé mâchonné par Lorimier, le quantum de la peine, deux ans ferme, qui se perd dans la mémoire du prétoire, la pluie diluvienne pendant le voyage du retour, les embouteillages, l'arrivée à la prison, l'identification, la fouille déplaisante, trois dans une cellule grande comme un garage à vélo, « ferme ta gueule, ici tu fermes ta gueule », un matelas posé sur le sol, des déjections de rats, des Kleenex usagés un peu partout, une vague odeur d'urine, le plateau-repas, poulet brun, nuit noire.

Un mois avant que Barak Obama ne s'installe officiellement dans ses appartements de la Maison-Blanche, j'ai moi-même été transféré dans mon nouveau logement, le « condo » que nous partageons encore aujourd'hui, Patrick Horton et moi. Ce déménagement m'a permis de m'extraire de l'enfer des boyaux du secteur A où la violence et les agressions rythmaient les heures du jour et même parfois celles de la nuit. Ici, sans être à l'abri d'un débordement, et grâce aussi au pedigree et à la stature d'Horton, la vie est plus acceptable. Et puis, lorsque l'embarras de soi et le poids du temps deviennent un fardeau trop lourd, il suffit de renoncer et de s'abandonner au rythme lent et têtu de l'horloge de la prison, de se soumettre à l'agenda de ses « régimes de vie » : « 7 heures, ouverture des cellules. 7 h 30, service du déjeuner. 8 heures, activités sectorielles. 11 h 15, repas de midi. 13 heures, activités sectorielles. 16 h 15, repas du soir. 18 heures, activités sectorielles. 22 h 30, coucher et fermeture des cellules. Interdiction de fumer à l'intérieur et à l'extérieur de l'établissement. Biens non autorisés : consoles de jeux, ordinateurs, téléphones portables, photographies à caractère pornographique.

Le lit doit être fait avant 8 heures et le ménage, tous les matins, avant 9 heures. »

C'est un sentiment très étrange pour moi de devoir être à ce point encadré et déresponsabilisé. Pendant vingt-six ans, dans le quartier d'Ahuntsic, à moins d'un kilomètre de cette prison – cela fut, au début, terriblement perturbant de me retrouver enfermé si près de chez moi –, j'ai exercé le métier très exigeant de superintendant, une sorte de concierge magicien, de factotum de première main capable de remettre en ordre et de réparer tout un petit monde précis, un univers complexe fait de câbles, de tubes, de tuyaux, de jonctions, de dérivations, de colonnes, d'évacuations, d'horodateurs, un petit monde joueur qui ne demandait qu'à partir en vrille, poser des problèmes, créer des pannes à résoudre d'urgence à grand renfort de mémoire, de connaissance, de technique, d'observation et parfois d'un peu de chance. Dans l'immeuble *L'Excelsior*, j'étais une sorte de *deus ex machina* auquel on avait confié la charge, l'entretien, la surveillance et la bonne marche de ce condo de soixante-huit unités. Tous les résidents étaient propriétaires de leur appartement et jouissaient d'un jardin agrémenté d'arbres et de massifs, d'une piscine chauffée, gorgée de 230 000 litres d'eau purifiée au sel, d'un parking souterrain immaculé avec son espace de lavage, d'une salle de sport, d'une entrée avec salon d'attente et de réception, d'une pièce de réunion, dite « Forum », de vingt-quatre caméras de surveillance et de trois vastes ascenseurs de marque Kone.

Vingt-six années durant, j'ai accompli un ouvrage gigantesque, stimulant, épuisant aussi car jamais fini, pratiquement invisible puisque consistant simplement à maintenir à l'équilibre de la normalité soixante-huit unités soumises à l'érosion du temps, du climat et de l'obsolescence. 9 500 jours de veille, de guet, d'interventions, 9 500 jours d'investigations, de vérifications, de tournées sur le toit, de virées dans les étages, 104 saisons à aussi parfois sortir de mes prérogatives pour aider des seniors, consoler des veuves, visiter des malades ou même accompagner les morts, comme cela s'est produit à deux reprises.

Je crois que l'éducation que m'a transmise Johanes Hansen, pasteur protestant de métier, n'est pas étrangère à l'abnégation dont j'ai dû faire preuve durant toutes ces années pour maintenir l'ensemble de l'ouvrage à flot. Exercer ainsi, pratiquer dans le retrait, accomplir quotidiennement des tâches ingrates avec sérieux et minutie ne me paraissent pas contraires à l'esprit de la Réforme tel que Johanes le défendait dans ses églises.

J'ignore tout de l'homme qui, à ma suite, a repris cette charge et accepté de vivre dans les viscères de cette résidence. Ni à quoi ressemblent aujourd'hui les entrailles de *L'Excelsior*. Je sais seulement que ce petit monde imaginatif de soixante-huit unités, capable de produire une infinie combinaison de pannes, de soucis et d'énigmes à résoudre, me manque énormément.

Il m'arrivait de parler aux choses et aux machines et j'avais la faiblesse de croire qu'elles parvenaient parfois à me comprendre. Aujourd'hui, il me reste Horton, sa dent et ses bielles.

Moi qui ai si longtemps administré et régenté la bonne marche de *L'Excelsior*, je suis désormais contraint de me conformer à l'émollient « régime de vie » de mon nouveau « condo », 8 heures : activités sectorielles, 16 h 15 : repas du soir, 21 heures : selles du Hells, 22 h 30 : coucher et fermeture des cellules.

Ce matin, dès son réveil, Patrick a appelé le gardien et demandé un rendez-vous d'urgence avec le dentiste. Il le redoute davantage qu'un raid sauvage des Bandidos. Sa joue avait enflé dans la nuit et la douleur le rendait électrique. Il allait et venait en tous sens dans la cellule comme un insecte prisonnier d'un bocal. « Ça t'emmerde pas de faire mon lit ce matin ? J'ai vraiment trop mal à cette salope de dent. Je tiens ça de mon père. Lui aussi avait des dents pourries. C'est la génétique, il paraît. Quoi ? J'en sais rien, fais pas chier avec tes questions à la con, c'est pas le jour. Putain de chien de dentiste. En plus il paraît qu'il a la tête de cinglé de Nicholson. Quelle heure il est ? Cet enculé doit être encore chez lui en train de se branler devant ses cornflakes de merde. Je vais te dire, il a intérêt à me soigner first class Nicholson, sinon, crois-moi, je l'ouvre en deux ce fils de pute. Quelle heure il est ? bordel. »

Pour Patrick, surtout quand il souffre d'une molaire, le monde se divise en deux catégories d'individus bien distincts. Ceux qui connaissent et apprécient les vocalises des bielles entrecroisées des Harley Davidson. Et ceux, bien plus nombreux, béotiens des « isolastics », qui méritent d'être « ouverts en deux ».

Ce matin, je dois avoir un entretien avec un certain Gaëtan Brossard, un fonctionnaire de l'administration pénitentiaire chargé d'instruire les dossiers de remise de peine avant de les transmettre au juge. J'ai déjà rencontré Brossard il y a trois ou quatre mois. Son physique dégage quelque chose d'apaisant et son visage taillé dans un moule de Viggo Mortensen le conforte dans son rôle de contrôleur bienveillant.

Notre premier entretien avait été de courte durée. Il n'avait même pas ouvert la chemise qui contenait les pièces de mon procès.

« Notre rencontre d'aujourd'hui est purement formelle, voyez cela comme une simple prise de contact, monsieur Hansen. Au regard des faits graves que vous avez commis il ne m'est malheureusement pas possible d'examiner ou d'envisager, à ce stade, une quelconque remise en liberté, même assortie d'un contrôle. Revoyons-nous dans quelques mois et si vos rapports de conduite sont bons nous pourrons alors peut-être envisager quelque chose. »

Brossard n'a pas changé. Je remarque un détail qui m'avait échappé la première fois. Lorsqu'il ne parle pas, Gaëtan a tendance à renifler le bout de ses doigts. À chaque inspiration, ses narines se dilatent, puis, sans doute rassurées par la reconnaissance d'effluves de molécules familières, elles reprennent leur forme originelle.

« Je vais être franc avec vous, monsieur Hansen. Vos notations sont partout excellentes et plaident évidemment pour que je transmette votre dossier au juge avec un avis favorable. Cependant vous devez me convaincre auparavant que vous avez pris conscience de la gravité de votre acte et qu'en pleine conscience vous le regrettez. Le regrettez-vous, monsieur Hansen ? »

Sans doute aurais-je dû dire ce qu'il attendait, me confondre en excuses, exprimer de profonds et sincères remords, formuler des farandoles de regrets, avouer que ce qui s'était passé ce jour-là était encore pour moi incompréhensible, demander pardon à la victime pour les souffrances que je lui avais infligées, et, à la fin de mon acte de contrition, baisser la tête, accablé par la honte.

Or je ne fis rien de tout cela. Pas un mot ne sortit de ma bouche, rien, mon visage demeura aussi inexpressif qu'un masque de fer et j'eus même toutes les peines à ne pas avouer à Viggo Mortensen que je regrettais le plus sincèrement du monde de n'avoir pas eu davantage de temps ou suffisamment de force pour briser tous les os de la carcasse de ce type méprisant, imbu de lui-même et répugnant.

« J'avoue que j'attendais autre chose de vous, monsieur Hansen. Une réaction plus appropriée. De toute évidence, quand je lis votre dossier, que j'épluche votre parcours et votre passé, il est clair pour moi que votre place n'est pas ici. Cependant, je crains qu'en raison de votre persistance à ne pas vouloir vous remettre en cause, vous ne soyez contraint d'y demeurer encore un certain temps. C'est très regrettable, monsieur Hansen. Chaque journée passée dans cette prison est une journée de trop. Est-ce que dehors quelqu'un vous attend ? »

Comment lui expliquer qu'en ce moment, personne, dehors, ne m'attendait, mais qu'en revanche, dans la pièce où nous nous trouvions – et je pouvais sentir leur souffle –, Winona, Johanes et Nouk patientaient poliment depuis tout à l'heure à mes côtés en espérant son départ.

Encore sous l'emprise de la piqûre anesthésiante, bavant une salive rougie dans les replis d'un mouchoir en papier, Patrick est de retour de sa séance de soin dentaire. De toute évidence, sa rencontre avec Nicholson s'est mal terminée. « Ce fumier me l'a arrachée. Je le savais, putain, on m'avait prévenu. Mais cette merde ne m'a pas laissé le choix. Il m'a dit qu'il pouvait rien faire pour sauver ma dent et qu'en plus, j'avais un abcès énorme. Il m'a montré une connerie sur une radio en disant : "C'est là, vous voyez, c'est vraiment infecté." Fais pas chier, j'ai répondu, fais ce que t'as à faire, mais je te préviens, si tu me fais mal, t'es mort. Avec ce qu'il m'a enfilé dans la gencive y avait de quoi endormir tout le putain de village où je suis né. Tu vois, je sais pas quand je vais sortir, mais je peux te jurer que dès que je suis dehors, je file chez ce trou du cul et je le coupe en deux. »

On annonce pour cette nuit une température de moins 28 degrés ; moins 34 degrés avec le coefficient éolien. Dans quatre jours, c'est le 25 décembre. Nicholson fêtera Noël entouré de toute sa famille à l'impeccable dentition paternellement blanchie. La cadette portera encore son appareil orthodontique et sa mère lui promettra que c'est le dernier hiver qu'elle passe avec toute cette ferraille dans la bouche. Une grande variété de boules et de lumières ridicules scintilleront et clignoteront dans la maison comme dans toutes les autres maisons de la ville, les grands magasins diffuseront des *Christmas carols* pour lubrifier les cartes de crédit et, en un illisible ballet, toutes sortes d'objets inutiles et dispendieux, extirpés du néant pour y revenir bientôt, transiteront de main en main, tandis que, pour l'occasion, les radios enchantées programmeront *All I want for Christmas is you*.

Ici, la nuit venue, un prêtre déclassé viendra dire en vitesse une messe réglementaire pour les amateurs de génuflexions, et sans y croire vraiment, promettra à chacun d'être, un jour, assis à la droite de son créateur, avant de filer au plus vite respirer l'odeur juvénile d'une chorale d'enfants de chœur. Quant à nous, kouffars, impies, brigands occasionnels et criminels musculeux, nous aurons droit à une double part de poulet brun sauce gravy accompagné d'une sorte de moelleux à la vieille crème d'érable. En commençant mon assiette, le plus sérieusement du monde, je souhaiterai un joyeux Noël à Patrick. Tout en mâchonnant sa volaille soumise, il me répondra : « Fais pas chier avec tes conneries. »

Skagen, l'église ensablée

Je suis né à Toulouse, le 20 février 1955, aux alentours de 22 heures, à la clinique des Teinturiers. Dans la chambre que l'on m'a attribuée, deux personnes que je n'ai encore jamais vues me regardent dormir. La jeune femme allongée à mes côtés, qui semble revenir d'une soirée, renversante de beauté, souriante, détendue malgré l'épreuve de l'accouchement, c'est Anna Margerit, ma mère. Elle a vingt-cinq ans. L'homme assis près d'elle, essayant de ne pas trop peser sur le rebord du lit, et que l'on devine de grande stature, avec des cheveux blonds et un regard bleu transparent empreint de bienveillance et de douceur, c'est Johanes Hansen, mon père. Il est âgé de trente ans. Tous deux semblent satisfaits du produit fini, initié dans des circonstances dont ils n'avaient peut-être pas, à l'époque, mesuré toutes les conséquences. En tout cas, mes parents ont depuis longtemps choisi mes prénoms. Je serai donc Paul Christian Frederic Hansen. Il est difficile de faire plus danois. Droit du sol, du sang, de tout ce que vous voulez et surtout du hasard, je serai pourtant titulaire de la nationalité française.

Johanes – comme ses quatre frères – a vu le jour dans le Jutland, à Skagen, une petite ville de 8 000 habitants, située à la pointe la plus au nord du Danemark et où l'on parle exclusivement le poisson dès la naissance. Pêcheurs de génération en génération, les Hansen ont contribué à la tranquille prospérité de ce petit bout de ville qui semble s'accrocher à sa terre pour ne pas dériver vers les côtes pas si lointaines de Kristiansand, en Norvège, ou de Göteborg en Suède. Le monde changeant ses habitudes et ses priorités, une partie des frères Hansen s'adapta et vendit ses bateaux de pêche pour se spécialiser dans la transformation de farine de poisson, tandis que Thor, l'aîné, continuait de naviguer entre les écueils de ces eaux dangereuses que les touristes aiment à contempler à la pointe de Grenen, quand, au plus fort du mauvais temps, se réveillent les conflits ancestraux entre les courants de la mer Baltique et ceux de la mer du Nord.

Johanes appartenait à une fraction très minoritaire chez les Hansen, la branche des *dem der bor inde i landet*, autrement dit « ceux qui vivent dans les terres ». Très tôt mon père tourna le dos à la mer, préférant contempler les lumières uniques de cette péninsule qui attirèrent les plus grands peintres du pays, créant, du fait de leur style et de leur assiduité, la célèbre école de Skagen. Des tableaux de paysages en paix, des hommes et des femmes simples à leur travail, la mer du Nord en fusion, des bateaux sur la Baltique, rien qui puisse vraiment bousculer les portes des musées ou casser les codes des Beaux-Arts. Simplement de belles toiles loyalement travaillées, et faites pour les habitants de ce pays qui n'en demandaient pas davantage.

En plus d'être un *bor inde i landet*, vers sa douzième année, mon père se piqua de religion, sport jusque-là totalement ignoré par l'ensemble de la famille. Bien plus tard, il me raconta les circonstances assez singulières qui le poussèrent vers la carrière de pasteur. C'est une histoire de sable, un sable mouvant, poussé par l'histoire et le vent.

À l'extrême nord de la péninsule, un peu à l'écart de la ville, au XIVᵉ siècle, une église dédiée aux patrons des marins fut construite à quelques pas de la mer. Avec ses 45 mètres de long, son clocher à pignon en échelons de 22 mètres de hauteur, ses 38 rangées de bancs, c'était un bâtiment imposant et unique dans tout le Jutland. Sans doute trop exposé aux embruns, trop proche du souffle des tempêtes, démuni face aux bourrasques, l'édifice eut à souffrir très tôt du mal de terre et vers 1770 le sable envahit peu à peu le parvis puis la nef, les dunes voraces s'affairant nuit et jour à grignoter et à repousser les murs de l'église. En 1775, une terrible tempête colmata toutes les entrées et les habitants durent alors creuser des galeries pour pénétrer dans leur temple et y célébrer leur culte. Ils procédèrent ainsi vingt années de plus, déblayant semaine après semaine les murs et les issues. Mais le vent n'en finissait pas de souffler et le sable de s'accumuler. Alors, un jour, submergé, s'avouant vaincu, Dieu abandonna la lutte et le clergé ferma définitivement l'église après avoir vendu tout son mobilier aux enchères. Aujourd'hui, le sable a entièrement enseveli et recouvert le bâtiment. Seuls 18 mètres de clocher émergent encore des dunes.

C'est la vue de cette église enfouie, de cette épave de la foi, qui a donné à mon père la volonté de devenir pasteur. « Tu vois, je crois qu'à l'époque je n'avais aucune croyance, je ne savais même pas ce que ça voulait dire. J'ai ressenti une émotion purement esthétique devant ce spectacle unique, bouleversant, que tu ne vois qu'une fois dans ta vie. Une vraie toile de l'école de Skagen. Si ce jour-là, à cet endroit j'avais vu une gare ensablée dont seul le pignon et l'horloge étaient encore visibles, peut-être que par la suite je serais devenu cheminot. » Tel était mon père, *bor inde i landet* sans doute, mais conscient de devoir sans cesse naviguer dans la permanence du doute, tantôt attiré par la fragile voilure d'une église abandonnée, tantôt séduit par la vie robuste et aventureuse des chemins de fer.

Anna Madeleine Margerit, ma mère, fit deux fois le voyage vers Skagen. Elle y rencontra toute la tribu des Hansen, hommes et femmes bâtis à l'identique pour résister aux rigueurs du climat et vivre ainsi pendant des siècles. On lui prépara de la plie aux groseilles et canneberges compotées, des anguilles roulées, du *pramdragergryde*, elle but un peu d'*akvavit* puis elle fit le pèlerinage de l'église ensablée où elle photographia mon père et tous les Hansen encore vivants bien alignés devant les restes du clocher. Durant le voyage de retour, elle parla à mon père de ce qu'elle avait ressenti en voyant cet ossement liturgique émerger de la terre. « Comment as-tu pu avoir eu envie de devenir pasteur après avoir visité un truc pareil ? Tout ça n'évoque que l'impuissance, l'abandon et la capitulation de Dieu et de l'Église. À ta place, je crois que j'aurais rejoint mes frères, épousé une femme locale qui leur ressemble et consacré mon temps à broyer du poisson pour le réduire en miettes. » Il paraît qu'alors, selon les dires d'Anna, mon père aurait hoché la tête un long moment avant de lui confesser avec son sourire de clergyman : « Je suis d'accord avec toi, sauf sur la question d'épouser une femme qui ressemble à mes frères. »

Anna Margerit était née à Toulouse. Ses parents que je n'ai jamais connus exploitaient un petit cinéma, modestement baptisé *Le Spargo* – du latin « Je sème » –, crédité à l'époque du tout nouveau label « art et essai », et où l'on ne présenterait par la suite que des films dits nobles comme *Les Gauloises bleues*, *Blow Up*, *Théorème* ou *Zabriskie Point*. Imprégnée dès l'enfance par toutes ces images, élevée au cœur de ces génériques interminables, de ces musiques prégnantes, de ces baisers outrés et de ces drames abscons, ma mère était devenue une encyclopédie cinématographique, connaissant tous les recoins, tous les interstices de ce monde, capable de citer le monteur d'un Pabst, le compositeur d'un Hawks ou l'éclairagiste d'un Epstein. D'une manière générale, elle s'intéressait davantage aux métiers du cinéma, aux fabricants, aux réalisateurs, aux producteurs qu'au savoir-faire trop prévisible des acteurs.

En ce mois d'avril 1960 à Toulouse, la famille Hansen ressemblait à ce qui se faisait de mieux et de plus conventionnel pour l'époque. Un mari mesuré et attentionné, bouleversant de charme, parlant désormais un français limpide et appliqué bien qu'épicé d'un exotique petit accent nordique, ayant trouvé sa place comme second pasteur au vieux temple de la rue Pargaminières et faisant l'unanimité dans ses prédications comme dans sa pratique. Une épouse qui semblait éprise de son mari, alliant une beauté naturelle que chacun s'accordait à qualifier de spectaculaire à des charmes intellectuels tout aussi impressionnants, partageant son temps entre l'éducation de son fils et la programmation d'un honorable cinéma dont elle partagea jusqu'en 1958 la gestion avec ses parents. Quant au jeune Paul Christian Frédéric, qu'il était encore trop tôt pour juger sur ses maigres pattes, il faisait à heures fixes ce qu'on lui demandait de faire, déployait le catalogue des politesses réglementaires et accompagnait chaque dimanche son père au temple pour l'écouter pérorer sur la marche du monde et ses faiblesses peccamineuses.

Seule ombre légère à cette nature morte qu'aurait sans doute négligée l'école de Skagen, ma mère, hermétique aux choses de l'Église et de la foi, réfractaire à l'idée même de péché, ne mettait jamais un pied ou un talon à l'office. Dans ces conditions, pourquoi avoir accepté de partager la vie d'un jeune pasteur protestant ? Quand il m'arrivait plus tard de soumettre ma mère à ce questionnement, j'obtenais toujours cette même réponse qui m'intriguait tout autant qu'elle me rassurait : « Ton père est si beau. »

Il lui arrivait aussi de s'emporter devant nous lorsque, à table, le ton montait un peu, et que mon père lui assénait son urticant mantra fétiche dont il était si friand : « Puisses-tu vivre ne serait-ce que quelques heures dans la perfection de la foi. » Je compris plus tard ce que pouvait alors ressentir Anna Madeleine. Cette insupportable bienveillance mielleuse et mollement condescendante à laquelle elle opposait un indéfectible : « Comment peux-tu dire des conneries pareilles ? »

Je crois sincèrement que dans ce premier poste, soucieux de plaire et de susciter une large unanimité de façade, le pasteur Hansen, mon père, se montra conventionnel, décevant et d'une assommante platitude. Mais lui demandait-on réellement autre chose ?

Je peux dire qu'à cette époque, malgré ces petites rayures sur le quotidien, mes parents étaient heureux de partager leurs vies en deux. J'ai toujours ignoré et j'ignore encore d'où ils tenaient leur complicité originelle. Malgré quelques questions dont je sentais très vite qu'elles provoquaient la gêne et l'embarras, je ne sus jamais où ni dans quelles circonstances mon père et ma mère se rencontrèrent, ni par quelle facétie du destin amoureux un natif de Skagen extirpé de ses sables mouvants et une trappistine de cinéma huppé, parvinrent, en 1953, à parcourir les 2 420 kilomètres qui les séparaient, à sauter la barrière du langage, pour parvenir à pleinement jouir de ce sacré tour qu'ils avaient joué à la vie.

Cinq ans plus tard, en 1958, la mort entra pour la première fois dans notre famille. Au cœur d'une nuit de l'été, soumise à un choc d'une grande violence, la DS 19 noire des parents d'Anna se disloqua sur l'une des plus belles nationales de ce pays, cette route du sud bordée de platanes majestueux, dont les faîtes, se rejoignant en voûte, tissent avec leur large houppier une délicate et protectrice ombrelle.

Mes grands-parents revenaient du festival de la Cité à Carcassonne. Dans la chaleur du soir emprisonnée derrière les tours et les remparts, ils étaient allés voir *La Chanson de Roland*, spectacle épique de 9 000 vers, joué et mis en scène par Jean Deschamps. « Charles le roi, Notre empereur Magne, Sept ans tout plein est resté en Espagne. » Peut-être sont-ils morts avec ces mots en tête, ces phrases rebondissant dans leurs boîtes crâniennes sous l'effet des chocs successifs, ces scansions accrochées, agrippées à leurs mémoires, tournant en boucle comme un disque rayé.

Vers 1 heure du matin, le téléphone sonna et une onde de douleur et de chagrin envahit brutalement l'appartement. Il va de soi que tout ce que je rapporte ici m'a été raconté plus tard par mes parents car je ne conserve aucune image, aucun bruit caractéristiques de ces moments qui pourtant bouleversèrent notre famille.

À Naurouze, lieu du partage des eaux du canal du Midi, la DS dévia de sa trajectoire et heurta frontalement un platane sur lequel la voiture explosa littéralement, projetant son toit de fibre de verre dans les fossés d'un champ voisin et les corps de mes grands-parents, à l'opposé, sur un lopin de terre, de l'autre côté de la nationale.

Dans ce lieu-dit où les eaux affluent et se séparent, en ce point de partage des mondes, il y a deux immenses pierres, séparées seulement de quelques centimètres. La légende prétend qu'à l'instant où ces deux blocs se rejoindront adviendra la fin du monde.

Cette nuit-là, ils conservèrent leur espacement et pourtant les Margerit entrèrent dans la fin des temps. Ils furent enterrés selon le rite catholique après un office célébré à la cathédrale Saint-Étienne auquel, bien sûr, mon père assista, ému sans doute, mais attentif, surtout, à l'esbroufe de la pompe, à la rouerie de la liturgie et aux tours de passe-passe de la concurrence.

Le Spargo avait perdu ses créateurs mais hérité d'une nouvelle administratrice à temps plein, ma mère, qui semblait prête et bien armée pour écrire une nouvelle histoire de son cinéma.

1958 fut une bonne année pour *Le Spargo*. *Mon oncle*, *Sueurs froides*, *La Soif du mal* et *Une chatte sur un toit brûlant* emplirent la salle pendant plusieurs semaines et aidèrent les spectateurs à supporter l'usure des velours et la dureté des accoudoirs. Anna fit installer un nouveau projecteur Philips à lampe xénon, un système de sonorisation amélioré ainsi qu'un écran doté d'une meilleure réflectivité. Avec cette mise à jour, le petit *Spargo* s'était refait une beauté intérieure. Les soins cosmétiques viendraient plus tard.

À l'image des petits cinémas, les lieux de culte vivaient leurs derniers beaux jours. Le monde était en train de changer et même si ce bouleversement ne faisait que commencer, mon père devait se battre, écrire et réécrire ses prédications pour retenir une audience qui ne demandait qu'à découvrir et expérimenter d'autres distractions, moins conventionnelles et plus permissives.

Vers ma dixième année, quiconque faisant preuve d'attention pouvait déjà entendre craquer les charnières du vieux monde. Nous habitions sur le quai Lombard, dans un vieil appartement aux plafonds stratosphériques. Ses larges fenêtres surmontées de persiennes de bois ouvraient sur le fleuve dont les couleurs changeaient au fil des saisons. En été, de vieux platanes ombraient les soirées et, la nuit, c'est à peine si l'on entendait chuinter les eaux de la Garonne.

Le collège Pierre-de-Fermat n'était pas très éloigné du fleuve et de notre domicile, mais beaucoup trop proche, à mon goût, du temple où officiait mon père. En aucun cas je n'aurais voulu que l'on apprenne que l'espèce de grand play-boy qui dévalait les marches de cette drôle d'église du bout de la rue, en impeccable costume grisé de clergyman, était mon père. Au collège, pour tout le monde, il était « importateur de farine de poisson ». Amen. Je lui avais avoué ce petit mensonge et supplié de ne pas le démentir si d'aventure il était questionné sur le sujet. « Tu ne devrais pas avoir honte du métier de ton père. Il n'a rien d'infamant. Au contraire. Au Danemark, les enfants de pasteur sont très fiers de leurs pères. »

À dater de ce jour, c'est ma mère qui prit en charge l'administration de ma scolarité et rencontra mes professeurs pour régler les affaires courantes. Johanes, lui, ne reparla jamais de ce sujet. Mais un soir, je trouvai sur ma table un petit mot qu'il avait déposé là à mon intention. J'étais encore un enfant et après l'avoir lu j'éprouvai beaucoup de perplexité et une vague tristesse dont j'eus du mal à déceler l'origine. L'écriture de mon père disait : « Je ne suis qu'un petit garçon qui s'amuse, doublé d'un pasteur protestant qui l'ennuie. André Gide. »

Le 31 décembre, vers 20 heures, une violente bagarre impliquant une dizaine de détenus appartenant à des gangs rivaux a éclaté dans les coursives de notre secteur et nous avons tous été soumis à la procédure de confinement dans nos cellules. Des ambulances sont entrées dans la cour principale de la prison pour emporter deux belligérants grièvement blessés par des coups de couteau. Les petites festivités organisées pour cette soirée de fin d'année ont évidemment toutes été annulées.

À minuit, alors que la plupart d'entre nous avaient déjà rejoint leur lit, on entendit dans le lointain le martèlement d'un objet métallique sur une porte de cellule. C'était un bruit pesant, lourd, régulier qui résonnait dans le vide des couloirs. Et puis un autre cognement s'aligna sur le premier. Et un troisième. En l'espace d'une minute, c'est tout le secteur qui se joignit au vacarme avant d'être rejoint par toutes les ailes de la prison. On aurait dit les battements d'un énorme cœur d'acier qui montaient vers le ciel. Le cantique des vœux des bannis. Je n'avais jamais entendu une chose pareille. Patrick, pareil à un diable, gorgé de puissance, s'acharnait à défoncer cette paroi dont il savait pourtant qu'elle lui résisterait. Il la regardait fixement, lui souriait et la matraquait de toutes ses forces. Le voir à l'œuvre, entendre ce tumulte me donnaient la chair de poule. En vérité, nous tapions en chœur sur bien des choses différentes. Sur des souffrances qui nous étaient personnelles. Sur le mépris que nous devions endurer. Sur nos familles absentes. Sur des juges désinvoltes, des dentistes pressés, et tout un monde mal défini que Patrick Horton, tôt ou tard, de toute façon, se chargerait de « couper en deux ». En cette première nuit de l'année 2010, nous étions simplement devenus une horde d'encagés pareils à des tambours, dans le ventre blasé de cette prison figée dans la glace, tout au bord de la rivière gelée.

Peu à peu, comme si une main invisible baissait le potentiomètre du son, les battements s'atténuèrent avant de disparaître dans le noir.

Cette nuit-là, il n'y eut aucune ronde. Les surveillants restèrent entre eux, et nous, avec le quantum de nos peines. Moins une année.

Aujourd'hui, nous sommes le 3 janvier 2010. Demain, cela fera quatorze mois que je suis enfermé dans ce bâtiment. Patrick est en train de dessiner. De dos, on dirait un enfant penché sur son ouvrage, appliqué à reproduire un fragment de monde avec l'entier de ses formes et de ses couleurs. Patrick dessine souvent. Des compositions naïves, des paysages, des visages et, bien sûr, des motos qu'il s'acharne à reproduire avec le plus de réalisme possible. Parfois, comme un collégien, il décalque ses sujets et peut passer ensuite une ou deux heures à les recopier et les colorier avec ses crayons. Voir ainsi ce colosse assassin donner le meilleur de lui-même pendant ces tâches puériles a un côté touchant, mais aussi sacrément angoissant, tant il interroge sur les méandres merdeux de l'âme humaine.

« J'ai repensé à ton histoire l'autre jour avec le psy. Tu t'y es mal pris. » Tout en suivant avec mille précautions, sur sa feuille, le fil ténu de son trait, Patrick m'instruit des conduites à tenir face à un évaluateur. « C'est pas compliqué. Tu lui dis juste ce qu'il veut entendre. Des trucs simples. Je regrette à mort ce que j'ai fait. Et je reconnais que j'ai dépassé les limites. En plus j'ai aucune excuse. J'avais des putains de parents nickel qui m'ont pas élevé comme ça. Voyez, je crois que la prison m'a fait du bien. Ici j'ai appris le respect et on m'a remis les yeux en face des trous. Je crois que je suis prêt à sortir et faire une vraie formation. J'aimerais bien conduire des bus. Si tu sens pas le bus tu le remplaces par ce que tu veux. Ce qu'il faut, c'est que l'autre saucisson soit content, qu'il ait l'impression que tu t'es mis en slip devant lui et que t'es prêt à servir. Tu vois bien le truc ? La règle elle est super simple : tu dois le convaincre que t'as rien dans le calcif. Lance-moi la gomme. Putain, je parle, et à chaque fois je déborde. »

Toutes peines confondues, durant ce qui est encore une jeune vie, Patrick Horton a déjà fait cinq années de détention. Pour ma part, j'ignore quand je sortirai d'ici. Deux années de prison pour la faute que j'ai commise me paraît être une peine proportionnée, à la mesure de l'importance du délit. Qui n'est, selon moi, ni gravissime ni anodin. Mais dans mon cas, un problème majeur m'empêche de mettre en application le théorème d'Horton. Si je n'ai aucun problème à franchement regretter ni déplorer mon geste pour peu qu'il ait été commis sur un citoyen lambda, je le trouve en revanche totalement pertinent lorsqu'il s'applique à la victime précise que j'ai agressée. Evaluateur ou pas, pour cet homme, il n'y aura jamais ni merci ni pardon.

L'abcès douloureux de Patrick n'est plus qu'un détestable souvenir. Mais tous les soirs avant de se laver les dents, il tient à me montrer le trou que l'extraction a laissé dans sa gencive. « Je me demande où elle est cette putain de dent aujourd'hui. C'était ma dent, quand même. Même pourrie, c'était ma dent. En plus y avait une couronne dessus. Le toubib aurait dû me la rendre. Je l'avais payée une blinde cette putain de céramique. S'il faut, ils la récupèrent pour faire d'autres dents ou même d'autres trucs. Qu'est-ce que t'en penses ? »

J'aime bien Patrick. Mais il est imprévisible et peut parfois exprimer des idées farfelues ou manier des concepts totalement insensés. Quelques jours avant Noël, je l'ai vu engager une longue et sérieuse conversation avec un de nos gardiens, qui semblait d'ailleurs appartenir à la même famille de pensée que lui, expliquant qu'il avait un copain capable de tordre les fourchettes à distance. Et devant son auditeur qui semblait subjugué, mimant la scène, il affirmait qu'il avait vu de ses propres yeux l'ustensile se tordre sur la table comme un spaghetti. « Ça s'appelle la psychokinèse. Je me suis documenté dessus. Mon copain ça fait des années qu'il pratique. En fait, il peut pas déplacer des trucs, je veux dire les faire aller d'un côté ou de l'autre. Ça, c'est impossible. En revanche il tord n'importe quoi. Enfin, faut pas que ce soit trop épais non plus. La cuillère ou la fourchette, pas de problème. Mais un tournevis par exemple, il peut pas. Je l'ai vu plusieurs fois se concentrer sur un putain de tournevis. Il peut y passer une, voire deux heures. Rien. Et en plus il finit crevé, épuisé, couvert de transpiration. Du coup sa femme les lui cache, les tournevis. J'ai lu qu'en Inde il y avait un mec comme lui qui était capable d'ouvrir des portes de frigo et de faire tourner des roues de vélo. »

Avec le temps j'ai fini par m'accoutumer à ces étranges montées hortoniennes, ces imprévisibles fulgurances qui peuvent tout aussi bien s'éteindre rapidement faute de combustible adéquat ou d'interlocuteur valable.

À cette époque de l'année, la nuit tombe vers 16 h 30. C'est à peu de chose près le moment où l'on nous sert le repas du soir, où nous dînons de peu sans nous dire grand-chose. Ensuite tombe une brume de mélancolie sous la protection de laquelle chacun semble s'isoler. Ce sont les mauvaises heures de la journée, ces fins d'après-midi où les gens du dehors sont heureux de revenir chez eux après avoir quitté leur travail, bravé la neige et le froid. À *L'Excelsior*, c'était le moment où je quittais mes tâches et attendais le retour de Winona à l'appartement. Puis nous allions souvent marcher avec Nouk dans le parc Ahuntsic. Débarrassés de toute contrainte, nous éprouvions alors le sentiment de flotter dans le temps, d'être pleinement propriétaires de nos vies, de sécréter à chaque pas de l'insouciance et des molécules de bonheur, tandis que la chienne roulait son pelage blanc dans des manteaux de neige. Il m'arrive parfois de fermer les yeux et d'essayer de reconstituer ces promenades du soir dans le jardin d'Éden, mais à chaque tentative des voix sauvages jaillissant des couloirs et des cellules font s'écrouler la patiente et fragile reconstruction qu'essayait d'opérer ma mémoire. C'est alors que l'on prend la mesure de ce qu'est une peine de prison. Une incapacité chronique à s'évader, ne serait-ce que le temps d'une marche en compagnie des morts.

J'ai dit qu'eux pouvaient me visiter ici. Mais jamais je n'arrive à les rejoindre dehors.

C'est l'heure de Patrick, cette routine à laquelle je ne parviens pas à m'habituer. Il enlève le tissu posé sur la cuvette, dégrafe son pantalon, s'assoit et me regarde fixement tout en produisant un effort de poussée qui fait gonfler les veines de son visage. Le bruit d'un galet que l'on jette dans de l'eau profonde annonce la fin de la première livraison. « Je ne sais toujours pas quand je passe au tribunal pour mon histoire. Je me demande si je devrais pas changer d'avocat. Celui que j'ai me plaît pas. C'est le genre boys band avec des mocassins à glands. Je te jure. La dernière fois ce con s'est pointé chez le juge avec des pompes à glands et des socquettes de *cheerleader*. » Un silence accompagné d'une nouvelle poussée, le galet, expiration, expression de relâchement sur le visage. « Je vais le dégager ce mec, je le sens pas. Non, ce qu'il me faut à moi, c'est une brutasse, un avocat genre mafieux qui rien qu'en rentrant dans la pièce foute le doute au juge. Tu vois un dingo comme Javier Bardem ou l'autre là, machin… Tommy Lee quelque chose. Pas l'autre danseuse avec ses chaussures de ballerine. »

Patrick se relève, opère un demi-tour, constate la bonne conformité des galets, actionne le mécanisme et dans une avalanche d'eau envoie les pierres jumelles dans les oubliettes communes.

Assis sur le rebord de mon lit, j'essaye de penser à autre chose, d'oublier ces effractions d'intimité que l'on nous impose et dont Patrick semble finalement s'accommoder. J'essaye de me persuader que tout cela finira bientôt, et qu'au prochain entretien, il me suffira de répondre simplement à des questionnements complexes puis, avec la candeur d'un pharisien aguerri, de délivrer le plus limpide des *confiteor*.

En attendant, je regarde Horton déposer sa petite nappe blanche sur la cuvette des toilettes. Je voudrais m'y faire. Je n'y arrive pas. Malgré le temps, c'est impossible.

Dans les couloirs, il se passe encore des choses. On devine le tumulte d'une bousculade, des cris rageurs, des insultes, puis le calme revient. La nuit et les benzodiazépines, largement distribuées, commencent à faire leur œuvre. Bientôt le ventre de la prison pourra amorcer sa lente digestion, et, lentement, tous les hommes qui l'habitent, eux aussi, le temps d'une courte nuit, disparaîtront dans les oubliettes communes.

Le pasteur doute

Influencé, j'imagine, par le climat insurrectionnel de cette année-là, mon père acheta en 1968 une voiture étrange dotée d'un moteur d'une conception totalement révolutionnaire, élue dans l'allégresse générale « voiture de l'année ». La NSU Ro 80 – Ro signifiant *Rotationskolben* – était une familiale équipée du fameux bloc Comotor, le premier moteur rotatif Wankel à équiper une voiture de série. Le pasteur, sensible à cette innovation mécanique, acheta la quatre-portes allemande pour héberger une famille qu'il aurait parfaitement pu loger dans un habitacle autrement modeste et de technologie plus conventionnelle. Peut-être Johanes avait-il encore en tête d'agrandir le cercle de sa descendance et d'implanter plus solidement la marque des Hansen sur ce territoire du sud-ouest. Quoi qu'il en soit, et malgré son habitabilité surprenante, cette NSU birotor se révéla être un véritable désastre, avec son catalogue de pannes moteur aussi inattendues et variées les unes que les autres. La Ro 80, censée préfigurer la technique et l'inventivité du monde de demain, modéra ses ambitions, vit ses ventes s'écrouler et quelque temps plus tard, précipita à elle seule la faillite, puis la disparition, de la marque NSU, qui finit par être rachetée par Audi.

En tout cas, l'arrivée dans notre famille de ce véhicule aussi couronné que mal né coïncida avec la détérioration des relations entre mon père et sa femme. Mais aussi entre le pasteur et son Église.

Durant tout ce printemps 1968, *Le Spargo*, dont on avait sommairement rafraîchi la façade, vécut sous le souffle roboratif d'une nouvelle effervescence. À l'image de tous les autres corps sociaux, le petit monde du cinéma fut traversé par la tornade libertaire balayant les usines, les universités, les avenues d'un vieux monde encore chaussé de pavés. Et en entendant Godard prôner à Cannes la grève des pellicules et la fusion des luttes, ma mère, Anna Margerit, se mua en égérie locale « Art et Essai », rejoignit la lutte godardienne, bouleversa sa programmation et ouvrit la caverne de son *Spargo* à toutes sortes d'assemblées générales, organisant des débats à large spectre qui n'avaient pour unique contrainte que de se terminer tard dans la brume d'une nuit moite et enfumée de stimulantes critiques.

Les après-midis, Anna programmait les films de l'année, *Rosemary's Baby, La Party, 2001 L'Odyssée de l'espace, Baisers volés*, et le soir venu, Marx, Lénine, Trotski, Mao et Bakounine tenaient le haut de l'affiche, et les séances s'enchaînaient au gré de la marée des groupuscules qui électrisaient la salle et s'échinaient à démontrer leurs aptitudes respectives à « conscientiser les masses ».

Ma mère m'amenait parfois assister à quelques-unes de ces réunions. À treize ans, je découvrais une terre inconnue, j'étais fasciné par cette nouvelle langue de liberté que je n'avais jamais entendue jusque-là, cette langue presque étrangère faite d'insolence, de fureur, d'irrespect, d'humour, qui bombardait la vie, à chaque instant, avec des phrases à réveiller les morts. Bien évidemment je ne comprenais pratiquement rien de ce qui se disait ou de ce qui se jouait là, mais je percevais la vibration originelle du sens, sa fréquence première, cette sorte de « Charles le roi, Notre empereur Magne, Sept ans tout plein est resté en Espagne ». Et cela tournait dans ma tête comme, peut-être, ces vers dans celle de mes grands-parents après l'éclatement du toit de la DS 19.

Dans le hall d'entrée du cinéma, Anna avait installé des grands panneaux d'affichage avec l'horaire des séances de cinéma, les thèmes des débats à venir, une foule de slogans qui s'entredévoraient et des messages à caractère informatif : « Comment réaliser un cocktail Molotov : une bouteille remplie de 2/3 d'essence, de 1/3 de sable, de savon en poudre, et un chiffon imbibé d'essence enfoncé dans le goulot. » Il y avait aussi des phrases magiques, inexplicablement familières qui entraient en nous et y trouvaient immédiatement leur place : « Colle-toi contre la vitre, parmi les insectes. » Je ne l'ai jamais oubliée. Et pas davantage cette autre : « Nous ne voulons pas d'un monde où la garantie de ne pas mourir de faim s'échange contre la certitude de mourir d'ennui. » Et puis, sur cette grande écritoire on pouvait lire des mises en garde plus ciblées, des dazibaos comme « Godard, le plus con des Suisses pro-Chinois », qui suscita de superbes échauffourées, dans le hall et sur le trottoir, entre communistes réputés révisionnistes et mao spontex, rejetons de bonne famille. Et enfin, il y avait la feuille 21 × 29,7, sans doute la plus discrète de toutes, punaisée sur le coin gauche du moins visible des panneaux, mais devant lequel, un soir qu'il était venu nous chercher, moi et ma mère, mon père bloqua, tel un braque hongrois à l'arrêt : « Comment penser librement à l'ombre d'une chapelle. »

Devant ce micro-libelle, le père et le mari s'évapo-
rèrent instantanément dans l'éther, et c'est l'homme
d'Église courroucé, humilié, s'estimant trahi par les
siens qui, au volant de sa Ro 80 dotée de ce si subtil moteur rotatif inventé par Felix Heinrich Wankel
(1902-1988), ramena toute sa petite troupe irresponsable
dans son appartement du bord du fleuve.

Je me souviens de tout ce qu'il advint cette nuit-là,
des mots que chacun employa pour bousculer les cer-
titudes de l'autre, du volume des voix utilisées dans
ce but, mais aussi de la moiteur étouffante de l'air, de
l'odeur de limon qui remontait du fleuve et du bruit
glaçant de la porte d'entrée quand mon père la claqua.
Ce soir-là, l'homme de Skagen quitta l'appartement au
milieu de la nuit, pour s'enfouir quelque part dans les
sables de sa colère.

Mais avant cela le pasteur s'était enfourné dans la
colère de Dieu. Avec un français d'école rissolé dans
un zeste de Jutland. « Te rends-tu compte que tu es
encore mariée à un pasteur ? Que tu le veuilles ou non,
la réalité c'est ça. Je te rappelle aussi qu'à ce titre, tu
as un devoir minimum de réserve qui consiste à ne
pas insulter mon ministère. J'ai accepté sans broncher
que tu ne mettes jamais les pieds au temple, la plupart
de mes fidèles pensent même que je suis célibataire.
Je n'ai rien dit quand tu m'as annoncé que tu ouvrais
chaque soir ta salle de cinéma pour y tenir des meetings
politiques dont certains finissent en pugilats interrompus
par des CRS. Pas un mot, non plus, quand un article
du journal local t'a présentée comme une passionaria
du mouvement et ton cinéma comme "l'un des creusets
artistiques de l'avant-garde révolutionnaire". Mais ce
soir quand j'ai vu "comment penser librement à l'ombre
d'une chapelle" affiché comme ça, sur tes panneaux,

dans ton cinéma, j'ai vraiment ressenti de la honte et de l'humiliation. Je ne peux pas comprendre ça, je ne peux pas le comprendre. Et comment peux-tu amener ton fils de treize ans assister à de tels spectacles, un tel déballage où ces étudiants insurgés disent tout et n'importe quoi, et s'invectivent ? Qu'est-ce qu'un adolescent de cet âge fait, la nuit, dans un endroit pareil ? C'est normal ça ? Je ne sais pas ce que tu veux, Anna, je ne comprends plus rien. »

Intense comme les orgues de Staline, la contre-offensive de ma mère ne tarda pas à s'abattre sur le pasteur. Peu ou prou, l'argumentaire d'Anna reprit celui des nouveaux combattants qui désiraient seulement reprendre le contrôle de leurs vies, se déprendre des dieux et de leurs maîtres, redonner le pouvoir aux gens peuplant les usines et, pourquoi pas, à la fin des fins, jouir sans entraves.

Pour un pasteur de l'époque, fût-il danois de Skagen, fils de pêcheur parmi les pêcheurs, nourri à la plie et à l'anguille roulée, élevé dans le respect et la tolérance, il faut reconnaître que la potion était violente, brutale et difficile à avaler d'une seule gorgée.

C'est pourquoi, ce soir-là, Johanes Hansen brisa l'échange, claqua violemment notre porte d'entrée, dévala l'escalier de pierre, monta dans sa voiture qui émit son bruit de moteur caractéristique et s'éloigna de sa famille en longeant les platanes du quai Lombard.

Incapable, au fond, de démêler les filaments du bien et du mal, incapable de savoir quel serait le credo du monde à venir, incapable de déceler en lui, cette nuit-là, ne serait-ce qu'une brindille de foi.

Cette après-midi, la promenade a été de courte durée. Par moins 20 degrés, peu d'entre nous acceptent de sortir prendre l'air dans la cour. Patrick et moi avons fait figure d'exception bien que je supporte assez difficilement ces températures qui brûlent les bronches et glacent les extrémités. Horton, lui, semble conçu avec un matériau isotherme qui l'isole du monde de l'hiver. Par des températures encore plus basses, couché sur un banc de musculation, je l'ai vu, dans cette cour, faire de l'exercice, bras nus, comme s'il soulevait de la fonte de printemps. Il aime bien marquer ainsi son territoire de mâle dominant, faire étalage de son potentiel physique pour impressionner et tenir à distance gardiens et détenus dont la plupart, en face-à-face, ne comprennent que l'alphabet primal et le langage de l'intimidation.

Aujourd'hui, pour la première fois il m'a parlé de son père, professeur de génie mécanique dans un CEGEP. Un homme qu'il n'a jamais vu prendre de vacances ou du repos, toujours attelé à son enseignement, préparant avec passion des centaines d'adolescents à leurs métiers de demain et, selon Patrick, allant jusqu'à oublier complètement sa femme et ses trois enfants qu'il avait pris pour habitude d'ignorer quand il les croisait dans la maison. « Au début, quand on était gosses, avec mon frère et ma sœur, on se demandait ce qu'on avait bien pu faire de mal pour qu'il nous traite comme ça. Un jour, on est allés poser la question à notre mère. Et là elle nous a fait la réponse la plus con de toutes les réponses cons : "Il a beaucoup de travail." On a bien compris que la mère ne voulait pas parler de tout ça. Alors on a fait comme lui, on a vécu entre nous en faisant comme s'il était pas là. Et puis un jour, quand même, je suis allé me planquer tout près du CEGEP, pour voir comment se comportait mon père avec les autres.

Et putain, entre deux cours, je l'ai vu comme je l'avais jamais vu, il faisait vachement jeune, il parlait à tout le monde, blaguait avec ces putains d'élèves en souriant, regardant ces enfants comme si c'étaient les siens. Et le pire c'est qu'il semblait les aimer, mais vraiment, et qu'il leur disait plus de choses durant cet interclasse qu'à nous pendant toute notre vie. J'en ai pleuré ce jour-là, je te jure. J'ai rien dit à mon frère et à ma sœur. On a continué à vivre dans ce truc bizarre et dès que j'ai pu je me suis cassé de la maison. Aujourd'hui, ce con est à la retraite. Ma mère est toujours avec lui. Je l'appelle au téléphone de temps en temps. On parle jamais de lui. Comme s'il était mort. »

On est allés s'asseoir un moment sur un grand banc vissé dans le sol de la cour. Et on n'a plus dit un mot. Le vent glacial griffait le visage et se faufilait entre les mailles du bonnet de laine. Le soir tombait lentement et bientôt cet endroit serait aussi sombre qu'une tombe. Un détenu que je ne connaissais pas s'est approché et s'est assis à l'autre bout du banc. Avant même qu'il ait pu prendre ses aises, Horton, sans le regarder, a juste dit : « Casse-toi. » Et l'autre, électrocuté, a bondi et s'est écarté rapidement de nous comme un homme qui vient de voir un gouffre s'ouvrir sous ses pieds.

De retour dans notre cellule, deux gardiens étaient déjà à l'intérieur et mettaient nos affaires sens dessus dessous, fouillant dans chaque recoin. La serviette de la cuvette était lancée sur un matelas, une poignée de T-shirts avait été jetée au pied des toilettes, tubes de dentifrice et brosses à dents se trouvaient éparpillés sur le sol. « Putain, c'est quoi ce bordel, vous jouez à quoi, là, les Siamois ? » Fouille de détail. De la drogue avait été trouvée dans une cellule de notre secteur. Au moment où les gardiens allaient quitter la pièce, Horton leur a fait signe de s'approcher. « Putain, vous risquiez pas de trouver quelque chose, j'avais tout planqué là. » Joignant le geste à la parole, Patrick empoigna son sexe et ses testicules au travers de son pantalon et les agita un moment sous le nez des gardiens. Aucun des « Siamois » n'éprouva l'envie de vérifier par lui-même les allégations d'Horton. Voyant qu'il avait partie gagnée, il poussa même son avantage. « Y en a un bon paquet et c'est de la bonne. »

Quand la porte se referma, il fallut tout remettre en place, replier les vêtements et nettoyer ce qui avait été souillé. Patrick ne cessa de grommeler sa rage comme un gorille encagé loin des siens et maltraité par ses gardiens. Ensuite, quand tout fut à nouveau propre, il déplia son cahier de dessins, sortit ses crayons et, à main levée, traça quelques lignes droites, d'autres finement brisées, puis des courbes régulières, des contours approximatifs et tel un disciple de l'école de Skagen s'enfonça en silence dans l'univers des lumières parfaites, cette péninsule où les pères n'avaient jamais existé, cet endroit connu de lui seul où, à défaut de refaire le monde, il s'efforçait, depuis l'enfance, de le redessiner.

Il fallut du temps pour réduire la ligne de fracture que Mai 68 avait tracée dans la vie de mes parents. À trente-huit ans, ma mère était entrée tête la première dans cette essoreuse de l'Histoire tandis que de l'autre côté de la vitre, mon père, mains croisées derrière le dos, n'avait eu d'autre choix que de la regarder tourner.

Durant l'année qui suivit les événements, mes parents s'efforcèrent de réparer les dégâts que les bombardements de la fête avaient causés dans leur couple. À l'été

1969, toute la famille, méticuleusement rangée sur les velours gris de la NSU Ro 80, décida de couvrir les 2 420 kilomètres séparant deux planètes appartenant à des systèmes solaires radicalement différents. Contre toute attente, la « bi-rotor » se montra à son avantage et avala le voyage en un peu plus de deux jours, Anna et Johanes alternant le pilotage. C'était mon premier séjour dans le Jutland. Dès mon arrivée, secoué par les vents qui arasaient les dunes, baigné dans cette lumière diaphane qui déposait une pellicule argentée sur l'épiderme des eaux, entouré de la bienveillance d'une famille aussi nombreuse qu'une petite armée, j'eus le sentiment étrange de vivre soudain parmi les miens. Comme eux, bientôt, je parlerais aux harengs, décrypterais les tempêtes, et entre deux autres Hansen, près des silos de l'entrepôt, j'ensacherais moi aussi de la farine de poisson destinée à nourrir d'autres poissons.

Tout le monde s'exprimait à voix forte, et les rires claquaient comme autant de coups de fouet dans chaque coin de la grande pièce où nous étions rassemblés. Il y avait toutes sortes de nourritures disposées dans de petites assiettes qui ne résistèrent pas longtemps à l'appétit des colosses. Ma mère et moi ne comprenions pas grand-chose à ce qui se disait mais nous tenions fermement notre verre d'une main et nous efforcions de figer un sourire réglementaire sur nos lèvres, pareils à deux touristes anglais en vacances, timides intrus désireux de s'incruster. Par moments, mon père venait vers nous, emprisonnait notre taille et nous présentait à un Hansen encore plus grand que le précédent, lequel éclatait de rire en écoutant Johanes lui livrer une anecdote nous concernant mais dont nous-mêmes ignorions absolument tout. Et puis, peu à peu, la pièce se vida de ses occupants qui se retrouvèrent, hommes et femmes, réunis dans la cour. Comme ils se seraient assemblés, dans un autre siècle, autour d'un nouvel attelage de frisons, ils faisaient aujourd'hui cercle autour de la Ro 80. Mon père avait levé le capot et livrait à sa famille les secrets du moteur à piston rotatif Wankel, fonctionnant selon le cycle Beau de Rochas. Les Hansen écoutaient les explications de mon père dans un silence respectueux, à peine troublé par quelques turbulences de vent sifflant discrètement sur les arêtes vives de la maison. On aurait dit une assemblée de fidèles captivée par la prédication d'un garagiste racontant la patiente et divine construction d'un monde parfait.

J'ai compris assez tôt que le culte protestant était un sport peu exigeant, aux règles assez souples, débarrassé de la trame rigide et du carcan liturgique des catholiques. Chaque paroisse est libre d'organiser son office comme elle l'entend, rien n'est centralisé et les pasteurs ne possèdent aucun véritable pouvoir. Ils commentent essentiellement des textes religieux ou font appel à des intervenants pour animer leurs rencontres hebdomadaires. C'est ainsi que le dimanche suivant notre arrivée, mon père fut invité par Henrik Glass, le pasteur de Skagen, à prendre place devant le microphone pour mener l'assemblée où bon lui semblerait. D'après ce qu'il nous résuma par la suite, Johanes commença par parler de la danse des sables poussés par ces vents venus de tous les coins du monde, ces bourrasques de nouveautés et de tentations qui érodent nos vies et, insidieusement, ensevelissent nos églises et notre foi. Il convoqua les soubresauts que venait de traverser l'époque, les doutes et les questionnements légitimes qu'ils avaient pu provoquer en chacun de nous, moulina quelques autres métaphores que j'ai oubliées, avant de conclure sur sa marotte habituelle, la chapelle enfouie, et le devoir que nous avions, tout au long de notre vie, de creuser, de repousser les sables pour pouvoir continuer à nous retrouver, chaque dimanche, ensemble, à l'intérieur de notre foi.

Son intervention sembla impressionner fortement les locaux. Sur le parvis, ils firent cercle autour de mon père pour le remercier et le féliciter de cette remarquable prédication. Cet accueil chaleureux fit rosir mon père de bonheur, lui dont les textes qu'il s'échinait à écrire finissaient toujours par se disperser dans l'indifférence de ses auditeurs toulousains.

Ma mère et moi, connaissant par cœur la rengaine des sables, restions en retrait au pays des Danois, attendant patiemment que la ferveur populaire se décante, pour aller déjeuner en famille à la table des ogres.

Au moment de partir alors que nous étions déjà assis dans la Ro 80, un homme se dirigea à pas pressés vers la vitre ouverte de mon père. Ils échangèrent quelques mots et je vis Johanes déployer son plus beau sourire. Il descendit de la voiture et en ouvrit le généreux capot. S'ensuivit une longue conversation sur les mérites comparés du moteur Wankel. Son interlocuteur, dont on apprendrait plus tard qu'il était sur le point d'acheter cette même boîte à chagrins, écoutait religieusement le verbe de son pasteur qui ne manquait pas de témoigner de sa foi en ces audaces mécaniques. Ce jour-là, elles l'excitaient davantage que les extravagances divines.

Durant ce séjour dans le Jutland, à un âge embarrassant, je pris aussi conscience que ma mère plaisait aux Danois. Où que l'on aille, je voyais que son allure, sa plastique et la beauté de ses traits captaient l'attention des hommes. Il n'est pas facile pour un adolescent de quatorze ans de constater qu'il a une mère sexy devenant, du seul fait de ce seul mot, une femme qui échappe à l'enfance, sort de son registre, incarne quelqu'un de différent qu'il ne connaît plus et qui détient l'étrange pouvoir, tout en étant la femme du pasteur, d'exciter le désir des hommes, parce qu'elle possède le mojo divin, ces attributs, cette somme magique, ces formes secrètes dont rêvent tous les types du monde. Elle avait trente-neuf ans, elle était ma mère, mais j'allais devoir apprendre à connaître cette nouvelle femme qui allait désormais vivre tous les jours avec nous à la maison.

Le séjour danois fut formidablement roboratif pour chacun d'entre nous. Mon père retrouva les odeurs de sa terre, le vacarme de ses deux mers et la chaleur de tous les siens. Ma mère se laissa envahir par la lumineuse beauté de ces paysages. Pour ma part j'appris quelques phrases essentielles comme *Mange tak* / « Merci beaucoup », *Jeg er ikke sulten længere* / « Je n'ai plus faim », *Jeg er søvnig* / « J'ai sommeil », *Hvor er min far* / « Où est mon père » et *Det er en smuk båd* / « C'est un beau bateau ». J'appris aussi que malgré mon éducation française, les leçons de mes maîtres et ma langue maternelle, j'étais avant tout un Hansen. Il y avait en moi quelque chose d'indéfinissable, qui venait de cet endroit et qui toujours m'y ramènerait. Allez savoir pourquoi, à quatorze ans, je me mis en tête, le jour venu, de revenir ici mourir parmi les géants.

Le voyage de retour ne ressembla en rien à l'initiale balade insouciante qui nous avait conduits jusqu'à la pointe de la péninsule. La première panne de la voiture eut lieu à Aarhus. Un long sifflement, de légers à-coups et le moteur s'accorda une petite sieste de trois heures. Un relais de commande de la boîte de vitesses semi-automatique. Un garagiste local remit les choses dans le sens de la marche jusqu'à ce qu'une défaillance de la pompe à essence nous immobilise à Hambourg pour la nuit. Le lendemain, avec un équipement neuf, nous descendîmes vers Dortmund où le concessionnaire NSU local nous vit arriver dans ses ateliers en remorque. Nous en repartîmes le lendemain en milieu d'après-midi sans jamais connaître les causes de la panne. Le technicien allemand tenta bien d'expliquer en anglais l'origine de la défaillance d'un élément qui se cachait, semblait-il, quelque part sous la culasse. Le brave homme avait beau répéter *chatter marks* ou encore *rotor housing* en pointant fermement son index sur une partie haute du moteur, ni mon père ni ma mère ne comprenait ce qui se cachait derrière ces grommellements et ce langage des signes. À court d'arguments, le garagiste employa alors un mot universel, et, de plus, commun à l'allemand, au danois et au français : « Garantie. » Ajoutant à plusieurs reprises : *Kein Geld, nein, kein Geld.* Ce qui, en langage plus élaboré, signifiait : « Vous avez acheté une voiture de merde, NSU qui en a parfaitement conscience fait jouer la garantie et prend en charge vos réparations. Vous n'avez rien à payer. *Nein.* »

Le millier de kilomètres restant fut couvert d'une traite, comme l'on avale une potion amère. Paris la nuit, la RN 20, Étampes, Orléans, Châteauroux, Limoges, Brive, Cahors et au lever du jour, dans les lueurs d'une aube rose, la lente descente vers les plaines de la Garonne.

En coupant le contact de la voiture garée tout près du quai Lombard, mon père passa sa main sur son visage et dit : « Quel drôle de voyage. » Ma mère ouvrit la vitre passager et regarda vers le fleuve. Étrangement, malgré l'heure et les impédimenta de ce voyage harassant, ni l'un ni l'autre ne semblait pressé de quitter cette voiture pour retrouver l'ordinaire de leurs vies, préférant prolonger encore un peu cette impression de complicité qui les avait unis tout au long de l'interminable trajet, se relayant derrière le volant pour parvenir ensemble à terminer une œuvre commune, revenir au pied de leur appartement, dont chacun redoutait secrètement qu'un jour ou l'autre, la porte palière ne claque à nouveau.

« *Chatter marks* », dit mon père. « *rotor housing* », répondit ma mère en souriant. Et ils descendirent de la Ro 80.

Ce matin, j'ai reçu un courrier de mon évaluateur. Il me demande si je suis d'accord pour participer à un atelier de verbalisation encadré par un psychologue, au cours duquel chaque participant exposerait aux autres son « parcours de vie » et les raisons qui l'ont conduit à la prison de Bordeaux. Si j'ai bien tout compris, la séance se ferait sur le modèle des réunions des Alcooliques Anonymes. « Bonjour, je m'appelle John, je suis ici pour violence aggravée et je n'ai frappé personne depuis 8 mois. » En chœur : « Bravo, John. » Applaudissements.

Le juge est parfaitement au courant de mes actes. Il a entendu tous les témoins et m'a longuement interrogé. Il m'a condamné à deux années de détention. Tout est dit. S'ils veulent m'élargir avant le terme, à eux de prendre leur responsabilité. Je n'irai pas picorer quelques graines de contrition dans leurs mains pour mendier une paire de mois de liberté.

Je ne répondrai pas à Viggo Mortensen. Je m'étais fait une autre idée de lui. Je le trouve décevant.

« Putain quand tu tombes sur des trucs pareils, ça fout vraiment la trouille. T'as déjà lu la Bible ? Oh ! Je te parle, putain, la Bible. » C'est bien la dernière question que j'aurais imaginé que Patrick me pose un jour. Non, moi, fils de pasteur, je n'avais jamais lu la Bible. Mais lui, d'où tient-il ce livre ? « C'est ma mère qui me l'a fourré dans le sac quand je suis parti au trou. Elle m'a dit « Ça te fera pas de mal ». Putain, j'ai ouvert ce truc y a dix minutes et crois-moi c'est des sévères les bro- thers, et quand ils envoient, je t'assure, c'est autre chose que nous. Les juges y fileraient doux avec des oiseaux pareils. Écoute-moi ça. Avant le texte je te donne le nom du mec qui l'a écrit et un numéro livré avec qui ne ressemble à rien. "Esaïe 65:12. Je vous destine au glaive. Et vous fléchirez tous le genou pour être égorgés ; car j'ai appelé et vous n'avez pas répondu, j'ai parlé et vous n'avez point écouté ; mais vous avez fait ce qui est mal à mes yeux et vous avez choisi ce qui me déplaît." Non, mais comment y se la joue le mec. C'est chaud, putain, c'est vraiment chaud. Attends, y a çui-là aussi : "Matthieu 25:30. Et le serviteur inutile, jetez-le dans les ténèbres du dehors où il y aura des pleurs et des grincements de dents." Bababam. Le dernier : "Lévitique 20:15. On le lapidera ou on le percera de flèches. Si un homme couche avec une bête, il sera puni de mort et vous tuerez la bête." Sans déconner, y sont détraqués à mort, les mecs. Tuer la bête. Non mais, attends, la bête elle y est pour rien dans leurs histoires. »

La bible fait un majestueux vol plané dans la cellule et comme un oiseau foudroyé par de la grenaille s'écrase au pied du mur piqué de salpêtre, derrière lequel on entend gratter les rongeurs.

Au milieu de la nuit, Patrick Horton a poussé un hurlement tellement déchirant et puissant qu'il m'a projeté hors de mon lit et provoqué l'arrivée au galop d'une paire de gardiens, les Siamois, équipés de Taser et de matraques pour mettre fin à ce qu'ils pensaient être une violente agression. « Je l'ai vue elle était là, elle marchait sur mon ventre et elle me regardait. Je sais pas si c'était une grosse souris ou un rat, mais, putain, cette bestiole marchait sur moi. Je l'ai vue, chef, je l'ai vue. Faut me changer de cellule, je peux pas rester ici. Je supporte pas les rongeurs, vraiment, ça me rend malade. Faut que vous fassiez quelque chose, merde, appelez le directeur, qui vous voulez, mais faites un truc. » Fascinés devant le spectacle de l'effondrement d'un mythe, la chute d'un caïd, les gardiens essayaient d'expliquer qu'on ne peut pas réveiller le directeur pour une histoire de souris. La prison était une immense ratière où grouillaient depuis toujours toutes sortes d'animaux nuisibles. Tout le monde le savait. Et donc, même si on comprenait les choses, voilà, il n'était pas question de faire venir le patron pour ça.

La Bible s'était vengée. Les Siamois prenaient le temps d'expliquer en détail l'état de la situation à Patrick, le redouté tueur des Angels. À 2 heures du matin, ils s'adressaient à lui avec cette même douceur, cette empathie raisonnée dont font preuve les mères lorsqu'il s'agit de calmer leurs enfants terrifiés aux portes d'un effrayant cauchemar en pleine nuit. « Je peux pas. Je m'en fous, je peux pas. Sortez-moi d'ici. Si vous avez pas d'autre cellule, bouclez-moi à l'infirmerie. Sans déconner, je vais devenir dingue. Les rats, putain, je peux pas. Allez, foutez-moi à l'infirmerie. »

Si incroyable que cela puisse paraître, les gardiens ont passé un appel radio au type de garde à la salle de soins, et fait un signe de tête à Horton. Pareil à un gosse dont on lève l'énorme punition, il a enfilé en vitesse un pull et un pantalon et, sans un regard pour Esaïe, Matthieu, ou pour moi, il a jailli hors de la cellule comme un type persuadé d'avoir la mort aux trousses.

La profondeur des gorges

J'ai compris très tôt que mon père ne serait jamais un vrai Français, un de ces types convaincus que l'Angleterre a toujours été un lieu de perdition et le reste du monde une lointaine banlieue qui manque d'éducation.

Cette difficulté qu'il avait à habiter ce pays, à le comprendre, à endosser ses coutumes et ses us, déplaisait à ma mère au point que leurs conversations récurrentes à ce sujet ravivaient souvent d'autres points de friction. Malgré les seize années déjà passées en France, Johanes Hansen restait un irréductible Danois, mangeur de *smørrebrød*, un homme du Jutland du Nord, raide sur la parole donnée, l'œil planté dans le regard de l'autre, mais dépourvu de cette dialectique gigoteuse en vogue chez nous, si prompte à nier les évidences et renier ses engagements.

De son pays d'accueil, il aimait par-dessus tout la langue qu'il utilisait avec un infini respect et une grande justesse grammaticale. Pour le reste, il semblait avoir les pires difficultés à trouver une vie à sa taille. Il disait souvent que de toutes les nations qu'il connaissait, la France était le pays qui avait le plus de difficulté à s'appliquer à lui-même les vertus républicaines et morales qu'il exigeait des autres. Surtout l'égalité et la fraternité.

« Avec leurs couronnes de privilèges, vos présidents et vos petits marquis ressemblent tellement plus à des rois que notre pauvre reine Margrethe II. » C'est ce qu'il aimait souvent répéter à table pour éperonner ma mère. Il avait également beaucoup de mal avec l'arrogance, l'aptitude au mensonge et la déloyauté qu'il disait voir ruisseler de nos gouvernements. Quant à nos hommes politiques, il ne pouvait les imaginer que barbotant dans les thermes de la corruption et de la compromission.

Anna coupait alors court à ce cortège de reproches. « Mais alors, pourquoi vivre ici ? Tu es libre de rentrer chez toi. » Mon père ne répondait jamais rien, mais, tous, nous entendions le timbre de sa douce voix : « Mon fils est ici et je t'aime. »

Bien que né et éduqué en France, je partageais le plus souvent les vues et les sentiments négatifs de mon père sur notre pays. Je comprenais parfaitement qu'un homme de sa stature, élevé dans les bourrasques pacifistes et internationalistes, se sente à l'étroit dans la camisole hexagonale où l'on essayait de le faire entrer. Et puis son fils était là, et, même si cela devenait de plus en plus compliqué, il continuait d'aimer sa femme.

Le Spargo avait retrouvé son calme originel et ses cycles de flux et de jusant rythmant les sorties de films à succès. En 1970, *Le Cercle rouge*, *Tristana*, *Little Big Man*, *Le Boucher*, *Mash* et *L'Aveu* offrirent à ma mère une de ses meilleures années. La production pullulait de nouveautés brillantes qui se glissaient à merveille dans notre petit écrin d'« art et essai » qu'il était encore de bon ton de fréquenter. Au lycée, j'étais très vite devenu populaire grâce à la position de ma mère et à l'incroyable fièvre cinématographique qui traversait la jeunesse de cette époque.

Pour ma part, je voyais tous ces films du *Spargo*, les uns après les autres. Parfois, au gré des journées – mais le plus souvent en fin de matinée – et pour une occasion spéciale, un film marquant, ma mère organisait une séance « familiale ». Nous avions alors la salle pour nous seuls. Assis côte à côte, mon père, ma mère et moi, nous regardions alors un long-métrage projeté sur grand écran. Je vivais là des moments inoubliables et tandis que les images de ces bobines de triacétate de cellulose s'enchaînaient, nous offrions, dans cet immense salon, toutes les caractéristiques d'une famille unie.

Mon père nous parlait très peu du temple et de ce qu'il y faisait. Loin de ses performances danoises couronnées de rappels enflammés, il semblait ne délivrer ici qu'un service minimal dans une indifférence polie. Il écrivait toujours ses prédications avec application, mais quelque chose en lui semblait désamorcé. Ma mère n'avait jamais fréquenté son office et, pour ma part, je ne venais plus depuis longtemps écouter ses sornettes qui, à l'image de celles de ses confrères et concurrents, tournaient en rond depuis des siècles sur le phonographe des prophètes.

Certains soirs, en attendant ma mère, Johanes se servait un verre d'alcool et s'asseyait devant la grande fenêtre face au fleuve. En été, quand il pleuvait, il ouvrait en grand les vantaux pour écouter le bruit de l'averse et sentir l'odeur mouillée de la vie remonter des trottoirs. De la part d'un tel homme d'Église à la foi mélancolique et parfois désabusée, on aurait pensé qu'il eût choisi Bach ou Haendel pour poudrer ces soirées solitaires. En réalité, dans ces moments de désenchantement, mon père écoutait des enregistrements qui semblaient tombés de l'étagère, dans un ordre erratique : Lee Konitz, Emerson Lake and Palmer, Stan Getz, Curtis

Mayfield ou Led Zeppelin, défilaient sur notre chaîne hi-fi Marantz accouplée avec des enceintes JBL choisies personnellement par ma mère. Le son, à l'époque de mes parents, revêtait une importance capitale qu'il n'a plus aujourd'hui. Il y avait une étonnante course à la performance pour sublimer les imperfections de pressage, les productions bâclées et les crachotements de 33 tours labourés par des rivières de diamant. Pour le pasteur, cette musique venait sans doute du ciel, via les canaux impénétrables de tweeters, mediums et boomers conçus par James Bullough Lansing (JBL) et assemblés à Northridge, Californie.

Si Johanes était encore de ce monde et découvrait le compte rendu des malheurs de ma petite vie, sans doute serait-il au moins satisfait de lire cette notation inutile mais précise sur l'origine de nos haut-parleurs. « Aujourd'hui, le monde est devenu trop complexe pour se contenter d'approximations, d'explications floues ou de remarques vagues. Je crois plus que jamais qu'il faut s'astreindre à la justesse, l'exactitude, nommer le détail. Autrefois tu pouvais acheter l'âme d'un homme avec une image pieuse sans qu'il demande autre chose qu'une bénédiction. Aujourd'hui, pour obtenir ce que je suis venu chercher, il faudra accompagner ce frère, répondre à ses questions, calmer ses inquiétudes et le border avec les gestes patients d'un référent fatigué des Alcooliques Anonymes. »

Ainsi parlait mon père. Lorsqu'il avait terminé son premier ou son second verre, face à la pluie, il lui arrivait quelquefois de m'entreprendre sur sa marotte, ces heures « passées dans la perfection de la foi ». Un soir que ma mère tardait à emprunter notre escalier, peut-être, cette fois, au bout d'un troisième verre, et tandis que la pluie léchait encore les vitres de l'appartement, il lâcha soudainement prise et dévissa de la paroi sur laquelle il devait s'accrocher depuis longtemps. « Je n'ai plus la foi. Même pas une journée. Même pas quelques heures par-ci, par-là. Il n'est plus question de perfection, plus rien. Quand on est allé à Skagen, la dernière fois, j'ai parlé longuement avec le vieux pasteur de ces choses. Au bout d'un moment, il m'a dit : "Mais Johanes, moi non plus je n'ai plus rien, rien du tout, à part cette bouteille de scotch que je renouvelle quand elle est vide. La foi, c'est fragile, ça repose sur trois fois rien comme un tour de magie. Et qu'est-ce qu'il faut pour être un bon prestidigitateur ? Un lapin et un chapeau. À une époque, j'avais tout ça au creux de ma main. Aujourd'hui, plus de lapin, plus de chapeau, plus de magie." C'est exactement ça, fiston. Plus rien. Ta mère et toi avez raison de ne jamais venir me voir et de ne vous être jamais intéressés à tout ça. Je vous envie. Moi, pour gagner ma vie, je dois continuer à monter sur scène effectuer mon vieux tour, le seul que j'aie jamais appris. Et sans femme, ni lapin, ni chapeau ».

Ce soir-là, pour dîner, mon père nous avait préparé un gratin d'aubergine. Il attendait dans la tiédeur du four. Ma mère rentra en évitant de faire claquer la porte d'entrée. Johanes s'était endormi.

Au petit matin, comme s'il ne s'était rien passé durant la nuit, mais avançant quand même sur la pointe des pieds, Patrick Horton a réintégré notre cellule. Plus tard, tandis que nous revenions du petit déjeuner, un gardien a passé la tête dans l'entrebâillement de la porte. « J'ai parlé de ton histoire au chef. C'est réglé. Un type de l'entretien passera dans une heure. » Effectivement, vers midi, un employé entra dans le condo avec une truelle langue de chat, des brisures de métal et une sorte d'enduit à prise rapide. Pour réaliser son amalgame, il dilua la poudre dans un peu d'eau, y ajouta les copeaux d'acier et entreprit de colmater toutes les fissures qui lézardaient les murs. Pendant qu'il opérait, Horton le suivait comme une ombre servile, vérifiant à chaque fois l'efficacité de l'obturation. « Vous êtes certain qu'il y a assez de métal dans le mélange ? Il est bien coupant ? Faut qu'ils se découpent les pattes dessus, sinon ça sert à rien. Combien pour que ça devienne vraiment dur ? Vingt-quatre heures ? Putain, y a pas moyen d'accélérer ? » L'employé de la prison passa une heure dans le condo à tout gratter et reboucher. Il dut aller chercher un autre sac d'enduit et d'autres éclats de métal. Quand il eut terminé, il se lava les mains dans notre lavabo, regarda la serviette sur la cuvette des toilettes, puis nous examina un instant. « C'est lequel de vous qui a peur des souris ? » Horton mit un certain temps à se dénoncer. Le gars rangea ses affaires en souriant. « Putain, j'en étais sûr et certain. »

Le mois de janvier est, à Montréal, l'un des plus froids de l'année. Cette semaine, la température est descendue jusqu'à moins 32 degrés. Dans les cellules, malgré le chauffage, c'est à peine s'il fait 14 degrés. On nous a distribué des couvertures supplémentaires. Elles sont en acrylique et ont une drôle d'odeur qui rappelle celle de certains caoutchoucs d'origine chinoise reconstitués à partir de vieux pneus équarris. La nuit, nous dormons habillés. Le jour, nous enfilons deux ou trois pullovers pour supporter le froid.

Sans doute frigorifiés dans les boyaux de la prison et privés de leurs issues habituelles, les rats et les souris ne sont pas revenus nous rendre une nouvelle visite.

L'humeur d'Horton s'en est évidemment ressentie. Il a retrouvé toute sa superbe et son désir de fendre en deux une bonne part de l'humanité. « Je connais un des mecs qui sont arrivés aujourd'hui. C'est un vrai crosseur. Y en a pas un autre à Montréal pour te maquiller en vitesse des bécanes volées. Il te fait le boulot en une aprèm. Ceci dit, tu t'en souviens. Quand tu vois ce qu'il te demande tu comprends vite que le mec y bosse pas pour l'Armée du salut. À part ça, c'est un vicelard qui se balade en permanence avec une lame sur lui. Je lui donne pas vingt-quatre heures pour qu'il s'en fabrique une ici. Lui, tu vois, j'ai même pas besoin de me poser la question, je sais qu'il finira mal. Un jour, moi je te le dis, le mec il va tomber sur un as du katana qui va le découper en deux morceaux. Comme ils disent dans la Bible, ç'ui-là qui te menace au poignard, il finira dans le hachoir. » Sur ce, mon exégète préféré s'emmitoufla dans sa couverture et commença son tour de garde, vérifiant que, bardées de leur âme de métal, les issues d'entrée des nuisibles étaient toujours étanches.

Quelle que soit la température, la nourriture que l'on nous sert est toujours aussi misérable. Aujourd'hui nous avons eu des filets de poulet brun avec des petits pois dont les micro-ondes n'avaient que partiellement entamé la congélation. Souvent, dans ces moments de dépression gustative – en prison, le repas est un des moments importants de la journée –, je ne pensais pas aux plats de ma mère que je n'ai pas le souvenir d'avoir vu cuisiner des produits frais, mais aux savoureuses plies de Skagen préparées par mon grand-père Sven et servies avec des airelles qui mariaient en bouche leurs sèves sucrées et salées.

Ce soir, il fait tellement froid que je n'arrive pas à dormir. J'écoute les canalisations craquer et les hommes tousser. Parfois de longues quintes remontent de cellules situées à un autre étage. Ces bruits déformés et atténués par la distance font penser à des cris ou des plaintes de bêtes sauvages.

Mon père est passé tout à l'heure. On a parlé de choses et d'autres et il a habilement glissé la Ro 80 dans le fil de notre conversation. Il se demandait, notamment, ce qu'était devenue cette voiture quand il avait quitté Toulouse à la fin de l'année 1975. Je connaissais la réponse mais j'ai préféré la garder pour moi. Je savais qu'elle lui aurait fait de la peine. Winona et Nouk nous ont rejoints un peu plus tard. Ce fut un moment de paix. Nous sommes restés tous ensemble, morts et vivant, serrés les uns contre les autres, pour tenter de nous apporter mutuellement ce dont nous manquions cruellement, un peu de chaleur et de réconfort.

L'enfermement a une odeur déplaisante. Des remugles de macération de mauvaises pensées, des effluves de sales idées qui ont traîné un peu partout, des relents aigres de vieux regrets. L'air libre, par définition, n'entre jamais ici. Nous respirons nos haleines en vase clos, des souffles communs chargés d'éclats de poulets bruns et de sombres projets. Même les vêtements, les draps, les peaux finissent par s'imprégner de ces exhalaisons auxquelles on ne s'habitue jamais. Au retour des promenades, quand l'air du dehors s'arrête au seuil des tourniquets, la transition est à chaque fois brutale et une vague nausée se charge aussitôt de nous rappeler que nous vivons et respirons dans un ventre qui nous charrie continuellement, longtemps nous digère, avant, le moment venu, de nous expulser pour se libérer plutôt que pour nous rendre la liberté.

L'obtention de mon baccalauréat à l'âge de dix-huit ans ne se fit pas sans mal. Je ne dus mon salut qu'à une séance de repêchage où l'on dénombra un grand nombre de noyés. Bien loin des largesses de mai 68 où chacun reçut son diplôme sur simple présentation d'un certificat de domicile, l'Académie de Toulouse, au cours des années suivantes, releva sensiblement ses exigences et ses standards d'acceptation. Mes bonnes dispositions en sport, en géographie, ainsi qu'un peu de débrouillardise dans quelques matières adjacentes m'autorisèrent à présenter mon dernier « ausweis » scolaire au pasteur et à m'entendre dire, dans la langue de Hans Christian Andersen, et avec une certaine solennité : « *Min søn, jeg er stolt af dig* », que l'on pourra toujours traduire par : « Mon fils, je suis fier de toi. »

En vérité, je n'ai jamais véritablement su si le demi-blond, le jeune mulâtre que j'avais parfois l'impression d'incarner aux yeux de mon père, ne lui faisait pas regretter de n'avoir pas épousé une authentique Skagenienne, qui aurait pensé danois, aimé danois, mangé danois, nagé danois, baisé danois et enfanté un robuste nourrisson danois dont chacun aurait vanté la force et la beauté, mais qui, pourtant, sitôt ouvert les yeux aurait murmuré à ses proches admirateurs « *Smiger er som en skygge : den gør dig hverken større eller mindre.* » *La flatterie est comme l'ombre : elle ne vous rend ni plus grand ni plus petit.*

J'aurais parfaitement compris que Johanes, le pasteur qui disait sans foi la Loi, rêve parfois, le soir, en regardant l'averse, de ce petit surgeon qu'il n'avait jamais eu.

L'Université m'accueillit comme un immigré surnuméraire et l'UER de géographie crut bon de m'enseigner que le Danemark, avec ses 42 924 kilomètres carrés, était le plus petit État de Scandinavie, pour peu que l'on oublie de lui adjoindre ses satellites, le Groenland et les îles Feroe, qui lui appartiennent, et en font alors un mastodonte de 2 210 579 kilomètres carrés.

J'aime la géographie des voyages, celle que l'on traverse à pied, à hauteur d'homme, instruit par les déclivités, la fatigue des jambes et le caprice des cieux. Beaucoup moins celle des livres enluminés de graphes et de data. Mon séjour au campus se résuma donc en une suite de va-et-vient désinvoltes, de contrôles de méconnaissances, de séances de polycopiés entrecoupées d'interminables journées de cinéma qui, le soir venu, me rendaient aux miens illuminé mais fourbu.

À la maison, les choses suivaient leur cours, érodant chaque jour davantage la patience de l'une et l'amour de l'autre. L'appartement du quai de Lombard était empli de cette atmosphère où les marques d'indifférence finissent par se fondre dans les couches de poussière. Le pasteur continuait de préparer les repas et ma mère, de rentrer tard. Ils dînaient le plus souvent chacun de leur côté, en horaire décalé.

Anna tenait les comptes de ses recettes, anticipait ses programmations, et profitait sans façon du monde tel qu'il se présentait. Johanes, lui, s'efforçait de tenir son rang, d'écrire en silence sur la parole de Dieu, bricolant l'apparence des illusions, improvisant un petit tour de prestidigitation avec ce qu'il avait sous la main, mais toujours sans le moindre chapeau, ni le plus petit lapin.

L'année 1975, celle de mes vingt ans, marqua la fin d'un monde, le nôtre, celui des Hansen, celui de ces gens du Nord et du Sud, qui avaient fait tant de kilomètres et tellement de sacrifices intimes pour s'allier, appris des langues inconnues, acheté d'improbables véhicules, baisé n'importe comment, à leur façon, l'un fermant les yeux, l'autre pas, fait un enfant sans trop savoir pour qui ni pourquoi, prêché la part de Dieu, programmé celle du diable, et, comme on le leur avait fait promettre, balayé tous les jours les sables qui s'accumulaient devant leur porte, tout cela, enduré jusqu'à l'os, pour finir séparés, détachés, disjoints, déchirés et rompus.

Le 24 avril de cette année-là, en fin de matinée, victime du mauvais goût de la mode, mais aussi de son âge et surtout du réajustement brutal du prix du pétrole, la dernière DS sortit des usines Citroën du quai de Javel. Ce fut un enterrement industriel, une cérémonie qui ne tirait généralement que peu de larmes. Étaient présents ou s'étaient fait représenter les officiels de la marque, les officiels de l'État, les officiels de la presse, et, sans aucun doute, mes grands-parents, debout quelque part dans cet atelier où l'on produisait cette voiture et, avant elle, de grandes quantités vénéneuses d'hypochlorite de sodium. Les Margerit avaient tenu à être présents à ces funérailles pour assister à la disparition du dernier représentant de ce qu'ils considéraient comme être une longue lignée d'assassins. Ils n'avaient rien oublié de l'accident de Naurouze, et encore moins pardonné quoi que ce soit.

Plus tard, lorsque j'ai repensé à la mise en liquidation de la famille Hansen, sans être capable d'en cerner l'analogie, je l'ai toujours associée à la faillite des Citroën. La vente de leur marque. Leur exil de Javel.

Et pourtant, si nous avons disparu de notre quai Lombard et du Bottin des familles, ce fut en grande partie à cause d'un certain Gérard Damiano. Ce natif du Bronx, catholique convaincu, ex-assistant de cabinet de radiologie, devenu ensuite coiffeur de quartier, qui, avec 25 000 dollars récoltés auprès de bienfaiteurs appartenant à des paroisses du crime organisé, se mit un jour en tête de réaliser le deuxième vrai film pornographique produit par le cinéma américain professionnel. Le scénario et les dialogues tenaient sur un confetti, l'histoire reposait exclusivement sur les prodiges bucco-pharyngés de l'héroïne, Linda Lovelace, entourée d'acteurs amateurs prêts à donner généreusement de leur personne. Le tournage, bricolé avec une équipe que l'on logeait dans une Coccinelle, fut bouclé en six jours durant l'hiver bienveillant de Miami. À sa sortie aux États-Unis au printemps 1972, l'un des acteurs, Harry Reems, qui jusque-là n'avait joué que dans du Shakespeare, employé sur *Deep Throat* comme comédien mais également en tant qu'éclairagiste, fut poursuivi par la justice pour « avoir véhiculé des obscénités dans le pays ». La pellicule, interdite dans vingt-sept États, qualifiée de « totalement obscène » par celui de New York, provoqua des tornades de scandales, des volées de critiques, des vertiges de vertus. Mais les salles accessibles où le visionnement était autorisé, elles, dégorgeaient de spectateurs. Durant sa carrière, *Deep Throat* alias *Gorge profonde*, film minuscule, rapporta plus de 600 millions de dollars. Mais il faut noter ceci : Damiano, le coiffeur réalisateur, tout comme les apprentis acteurs ne touchèrent à l'époque, pour leurs six journées de travail, que quelques gravillons de cette montagne d'or. La grande majorité des recettes fut en effet prélevée, en liquide, au jour le jour, aux guichets mêmes des cinémas, dans tout le pays, par une garnison d'encaisseurs chargés par la mafia de tondre les acteurs et le coiffeur.

Gérard Damiano récidiva pourtant l'année suivante en tournant *The Devil in Miss Jones* qui généra 7,7 millions de recettes et fut le plus gros succès de 1973. En trente-deux ans de carrière, la filmographie de cet étonnant personnage s'arrêta au bout de 48 films dont les titres splendidement explicites comme *Splendor in the Ass* (1989) ne laissent planer aucun doute sur l'écriture, la nature et le contenu des scenarii.

Si je me souviens encore de ces détails, c'est qu'en raison des barbelés de la censure, *Deep Throat* ne sortit en France que le 27 août 1975. Et que durant cette longue période d'attente, à la maison, les débats entre la Réforme et l'Art et ses Essais avaient été vifs.

Trois ans s'étaient écoulés depuis sa présentation américaine. Trois années durant lesquelles ORL et critiques avaient glosé sur les singularités de ce fond de gorge, la biographie de son auteur, son catholicisme élastique et ses recettes qui disparaissaient comme autant de lapins dans des chapeaux siciliens. Toutes ces anecdotes étaient arrivées par vagues successives d'outre-Atlantique, si bien que, lorsque *Gorge profonde* fut présenté dans nos salles, tout le monde avait le sentiment d'avoir déjà vu le film.

Le 27 août 1975 reste donc pour moi une date inoubliable, la journée fatidique où notre vie a basculé en officialisant ce que je pressentais depuis longtemps.

Dès le mois de juin, le ministre de la Culture, Michel Guy, leva les interdits bloquant l'arrivée de ces pellicules en France. Ma mère, en tant qu'indépendante, se positionna auprès du distributeur Alpha France afin de pouvoir présenter ce film phénomène au *Spargo*. La nouvelle, lorsqu'elle se propagea jusqu'au quai Lombard, mit le pasteur en furie, révéla son petit côté frileux et conservateur tout en libérant sa parole : « Qu'est-ce que tu crois que j'en ai à foutre de ta misérable histoire, de ton ridicule clitoris et de ces types qui se font sucer pendant une heure ? Tu penses que c'est ça qui me choque ? Tu le crois vraiment ? Non, Anna, ce qui me fout en l'air, c'est que la femme du pasteur du vieux temple n'ait pas envisagé une seule seconde les répercussions que ses choix cinématographiques à la con allaient avoir pour moi. Si tu diffuses ce film dans ton cinéma, je suis fini, je ne peux plus me présenter au temple. Les gens, la presse, mes fidèles vont évidemment faire le lien entre celle par qui le scandale arrive et celui qui, le dimanche, leur vante les mérites des Corinthiens : "Le corps n'est pas pour la fornication mais pour le Seigneur." Est-ce que tu te rends compte de la merde dans laquelle tu me mets ? Et sans même en discuter avec moi, me demander mon avis. J'apprends ça par hasard en décrochant le téléphone. Un type d'un truc qui s'appelle Alpha France me dit : "Madame Hansen n'est pas là ? Vous êtes monsieur Hansen ? Alors j'ai une bonne nouvelle pour vous. C'est OK pour *Gorge profonde*. Vous pourrez exploiter le film à sa sortie. On vous avisera pour les dates et l'arrivée des bobines. Je vous préviens, ça va vous changer de votre programmation habituelle." Si tu sors ce film, c'est toute ma vie qui va changer, Anna, toute notre vie. »

Ma mère se leva brusquement et frappa la table du plat de ses mains. « Tu n'es qu'un petit pasteur de province, un protestant coincé, conservateur et aveugle aux changements. Tu ne vois rien, tu ne comprends rien, tu tranches et tu juges, avec ta bible que tu brandis comme un Code pénal. Tu vis encore au XIXe siècle dans tes histoires de farines de poisson et de péninsule ensablée. Tu me fais chier, Johanes Hansen. Tout le monde, partout, va voir ce film qui est sans doute une merde mais qui marque un tournant dans le métier que je fais. Je ne sais pas vraiment lequel mais je suis certaine que c'est un événement. Alors je te le dis, je ne vais pas renoncer à tout ça pour calmer les angoisses professionnelles d'un mari qui n'assume pas le métier de sa femme.

Je présente des films, Johanes, tu comprends ça, c'est mon boulot. Quand je reçois un Bergman, un Tarkovski, je présente de la métaphysique, du mysticisme. Quand c'est un Damiano, je montre des pipes, des pipes et des clitos. Et je suis vraiment désolée si de si petites choses au fond d'une gorge peuvent te mettre dans un tel état. »

Sur ce, Anna quitta la pièce et claqua violemment la porte palière en sortant de l'appartement.

Ce soir-là, je compris que mon père et moi étions en quelque sorte la dernière DS à sortir de la ligne d'assemblage avec, devant et derrière nous, un gouffre de solitude et d'incertitude. Lors de ce conflit familial, même si, de toute évidence, je partageais le point de vue libéral, pragmatique et moderniste de ma mère, je me suis immédiatement rangée du côté de Johanes. Sans doute par une sorte d'intime solidarité danoise, mais aussi parce que la vue de ce père désemparé, dépourvu de foi, ayant tout oublié de ses tours de magie, privé de sa langue et regardant tomber les averses de pluie en attendant ma mère me bouleversait. Sa vie avançait à rebrousse-poil de tous les films que je voyais et du monde qui nous entourait. Comme le moteur Wankel de sa NSU, il tournait sur lui-même sans avancer réellement, sans embrayer suffisamment pour se sortir de l'ornière.

Et ce qui devait arriver arriva. Une publication gratuite spécialisée dans l'annonce de spectacles et des prochaines sorties de films cita *Le Spargo* dans la liste des cinémas habilités à présenter *Deep Throat*. Les prises de parole polémiques se multiplièrent dans la presse à l'approche de la date de sa présentation et quelques ligues de vertu critiquèrent ardemment l'emploi contre nature de cette gorge déployée. Dans la sphère protestante où chacun avait fini par faire le lien entre la bourdonnante exploitante de cette salle et le pasteur Hansen, on était de plus en plus embarrassé pour trouver une réponse appropriée aux questionnements insistants de la frange la moins progressiste de la communauté.

Le 22 août 1975 – c'était un vendredi –, mon père fut convoqué par le conseil presbytéral qui lui expliqua qu'en raison d'une situation assez particulière qui pouvait placer chacun en position embarrassante, il avait été décidé de suspendre son poste à titre conservatoire, la mesure ayant un effet immédiat.

C'est un homme sans voix, absent de lui-même, que je retrouvai à l'appartement.

Le dimanche matin 24 août, Johanes resta à la maison. Il descendit marcher sur les quais le long de la Garonne puis passa quelques appels téléphoniques, dont un en anglais. Il n'appela aucun numéro au Danemark, souhaitant sans doute laisser sa famille en dehors de toute cette agitation et éviter de devoir accabler ma mère pour expliquer son infortune. Dès le vendredi, au sortir de son entretien, mon père savait que sa mise à pied était définitive et qu'il ne retrouverait jamais son temple. Comment aurait-il d'ailleurs pu justifier son retour, et plus tard son maintien, si le modernisme d'Anna l'avait ensuite poussée à programmer, l'année suivante, *The Devil in Miss Jones*, et celle d'après, *Splendor in the Ass* ?

Les séances du 25 août furent évidemment toutes complètes, comme celles des jours et des semaines suivants. Bien sûr, le film n'était ni fait ni à faire, et un critique local, après visionnement, le qualifia de pellicule destinée « aux gloutons optiques ».

Mon père ne sortait que très peu du quai Lombard. Il semblait avoir accepté sa défaite. Je remarquai qu'il passait pas mal de temps au téléphone en compagnie d'interlocuteurs avec lesquels il échangeait tantôt en français, tantôt en anglais. Avec ma mère, il avait clos les débats et ne communiquait plus que pour régler les quelques affaires courantes et domestiques qui pouvaient encombrer le quotidien. Plus un mot sur Damiano ou Linda Lovelace. Peu à peu, le fracas était retombé. Un moment désemparée par la brutale disgrâce de son mari, Anna reprit très vite de sa superbe, chevauchant allègrement un succès et des recettes qu'aucun encaisseur interlope ne venait jamais lui réclamer.

À la mi-septembre, à l'heure du dîner, tandis qu'audehors s'abattait un orage cisaillé par des vents violents, la voix calme et posée de mon père n'eut aucun mal à éclipser le vacarme du tonnerre. « Voilà, je veux juste vous dire deux choses : d'abord le conseil presbytéral m'a reçu il y a une semaine pour me confirmer que je ne serai pas réintégré dans mon poste, sans s'étendre sur les motifs de ce congédiement. L'autre nouvelle, c'est que j'ai trouvé un nouveau travail. Je vais être nommé pasteur principal de la Methodist Church de Thetford Mines. C'est une petite ville au Canada, dans la province de Québec. Je prends mes nouvelles fonctions le 1er novembre. Je partirai m'installer là-bas vers la mi-octobre. D'ici là je m'efforcerai d'effacer administrativement – je sais que, vous, les Français, êtes très friands de ce sport – toute trace de mon passage dans cette ville et cette famille. Dans ces conditions, notre divorce, Anna, me semble être un passage obligé. Je te laisse le soin d'en choisir les termes et je signerai évidemment, avant mon départ, tous les documents dont tu auras besoin. Inutile de vous dire que vous serez toujours, tous deux, les bienvenus dans cette toute petite ville dont je ne sais pratiquement rien sinon qu'elle tire sa richesse de ses mines d'amiante. »

Avec la détermination d'une vraie Danoise de la péninsule, ma mère se leva de table et planta son regard insolent et furieux dans les yeux bleus de Johanes Hansen qui, à cet instant, dut lui apparaître comme un pasteur minuscule. « Les papiers du divorce sont déjà prêts. Tu les trouveras dans le tiroir de la commode, dans l'entrée. »

« À quoi tu penses, le twit ? » Je n'imaginais pas Horton capable de me poser une telle question ni de me traiter amicalement de « twit », dont « crétin » est le terme français le plus approchant. J'aurais pu lui dire que j'étais en train de traîner dans un monde enfoui depuis bien des années, un monde ancien où l'on pouvait se séparer pour un mauvais film, un monde que j'habitais à peine depuis vingt ans et où j'avais encore ma place, assis à table, entre mon père et ma mère, que, ce soir-là, je voyais réunis pour l'une des toutes dernières fois. Et de ce monde, il ne restait aujourd'hui plus rien. Le pasteur était mort devant mes yeux. Anna, après avoir vécu longtemps en union libre avec un petit producteur suisse, avait succombé, cinq ans plus tôt, à une surdose volontaire de médicaments. La NSU, elle, après avoir été volée et totalement détruite dans un accident de la route, peu après le départ de mon père, avait terminé sa course chez un épaviste. Quant au *Spargo*, il connut un destin conforme aux tendances du marché, périclitant doucement, puis vendu par ma mère à un jeune exploitant marseillais qui se fit un devoir d'abandonner le label « art et essai » pour transformer la salle en une bonbonnière du porno, le *Prado*, qui fut ensuite rebaptisé en *Zig-Zag* avant d'être purement et simplement remplacé par une franchise de lunetier qui ne se montra pas très regardant sur le passé de l'endroit.

Voilà à quoi pensait « le twit » en cette soirée de janvier où la température n'en finit pas de tomber. Nos couvertures d'appoint ne suffiraient bientôt plus à nous assurer un minimum de chaleur. Les chaudières, bien que poussées à fond, étaient trop vieilles pour contrebalancer les excès de l'hiver.

« T'as vu ce qui s'est passé hier à New York et aussi dans plein d'autres villes dans le monde ? 3 000 types ont enlevé leurs falzars en même temps. 3 000 d'un coup, tu le crois ça ? C'était paraît-il la fête du "No Pants Day". Le speaker a expliqué un truc du genre "les membres de ce club font ça pour se sentir plus libres sans pantalon, et aussi, pendant cette journée ils continuent à mener une vie normale au boulot et dans la rue, mais en slip"… Sans déconner, tu crois rêver. T'imagines un gardien qui se pointe au condo en string et qui te gueule : "Hansen au parloir !" Ou alors le juge au tribunal, qui te colle vingt piges en caleçon. Putain ce serait chaud le "No Pants Day". Je te le dis, mon pote, on est en train de vivre dans un monde de dingos. D'un autre côté, moi ça me dérange pas s'ils veulent se les rouler au grand air. Mais en janvier, avec la température qu'il fait, ça devient un putain de sport extrême. »

Quelque chose de sombre et d'embarrassant, un châle épais de tristesse m'enveloppa alors les épaules. Horton continuait à diffuser les grands titres de sa toute nouvelle culture radiophonique, mais ses messages se brouillaient avant même de me parvenir.

Il m'arrivait souvent de ressentir cette absence, ce même malaise. Surtout lorsque, après avoir déterré tous ces morts, je prenais pleinement conscience de ma solitude. Désormais, j'étais le dernier des Hansen du Sud.

Thetford Mines

Après le départ de mon père, Anna ne fit aucun effort pour se rapprocher de moi et continua de mener sa vie comme si de rien n'était, ignorant ostensiblement l'ombre portée du pasteur qui continuait pourtant d'aller et venir dans notre appartement. À cette époque-là, j'en ai profondément voulu à ma mère de n'avoir rien cédé à Johanes et de l'avoir laissé partir comme un visiteur de passage. Cette fracture ne se résorba jamais. Cela d'autant moins que l'été suivant je m'envolais à mon tour vers le Canada, pour rejoindre mon père.

Thetford Mines est aujourd'hui encore une aberration géologique doublée d'une curiosité esthétique. Hormis le nom qui livre un indice, rien de remarquable d'un point de vue purement factuel. La ville (45° 06' nord / 71° 18' ouest) compte 25 000 habitants dispersés, en moyenne, par poignées de 100 au kilomètre carré, sur une superficie totale qui se contente de 225,79 kilomètres carrés. Traversée par la discrète rivière Bécancour, elle est équidistante de Québec, au nord, de Sherbrooke, au sud. Et est rattachée à la région Chaudière-Appalaches. Signe de sa relative prospérité, elle abrite un hôpital général, un CEGEP, un centre des congrès et une piscine couverte. Chaque année, elle organise le Festival de musique Promutuel de la Relève et une présentation de voitures anciennes. L'Assurancia et les Blue Sox de Thetford sont respectivement les équipes de hockey et de base-ball de la ville.

Quand on arrive sur place, ce catalogue raisonné des biens et services se vaporise devant les phénoménales excavations qui ceinturent et perforent la ville jusqu'en son centre. Le monde après l'Armageddon. Des mines et encore des mines, creusées à ciel ouvert, profondes, récurées jusqu'au ventre de la terre, des cratères lunaires gigantesques, des fosses martiennes démesurées, taillées en escaliers, striées de routes tortueuses, des terrils poussiéreux, roulés en boule, pareils à d'énormes animaux endormis. Et çà et là, de grands lacs, semblant tombés du ciel, gorgés d'une sublime eau émeraude, petite mer de joaillier, quasi surnaturelle et luminescente dans ce paysage dégradé de cicatrices, de tristesse et de grisés.

Le nom de la dernière petite municipalité avalée par Thetford Mines, Amiante, en dit long sur la nature des sous-sols. Sa proche voisine, elle, se nomme Asbestos.

C'est donc ici que vivait mon père, dans ce chaudron de fibres et de poussières, dans cet incroyable décor minier, cette cité fouillée, charcutée, bombardée, irréelle, où depuis 1876 le chrysotile était roi.

L'inventeur du gisement, qu'il trouva en grattant la terre de son ongle, s'appelait Joseph Fecteau. C'était un fermier aux doigts d'argent. À sa suite, Roger Ward, les frères Johnson, et bien d'autres travailleurs de la terre d'un genre nouveau entreprirent de labourer les sols jusqu'à l'os, de dévaster les paysages, d'équarrir les sous-sols et de disperser à l'explosif ces amas de roches fibrées d'amiante blanc que des géologues de l'université de Montréal, spécialistes du quaternaire, décrivent dans leur publication sur « les trois séquences stratigraphiques qui constituent la séquence pléistocène de la région de Thetford Mines ».

Le pasteur prêchait donc au cœur du paléolithique. Il avait traversé le monde pour retourner à ses origines, ces temps où apparurent les premiers humains équipés de leurs pierres taillées. Juchés sur des pelleteuses capables de rayer les cieux, leurs descendants fouillaient aujourd'hui dans les vestiges de leurs origines, grattant les strates accumulées, comme des chiens de métal avides de retrouver un os enfoui.

Les puits ouverts portent souvent les noms des compagnies qui les exploitent, et, par capillarité, donnent leurs patronymes aux rues qui les bordent. Ces sociétés s'appellent King, Bell, Beaver, Johnson et tant d'autres. Les maisons des habitants côtoient parfois le vide, ces gouffres sillonnés de camions bennes géants qui font la noria entre le fond du monde, ses entrailles fibreuses, et sa surface où la lumière poussiéreuse des lieux n'a jamais inspiré aucune école de peinture.

En 1975, Thetford Mines était l'un des sites de chrysotile les plus importants du monde, produisant sans remords ni répit, et nul ne se préoccupait encore sérieusement des vingt-six études de santé déjà publiées entre 1934 et 1954 relatant les cas d'asbestose et de cancers du poumon chez des patients travaillant dans le secteur de l'amiante en Pennsylvanie, au pays de Galles ou au Québec.

C'est à Paris, en 1975, l'année où mon père s'installa dans les boyaux de Thetford Mines, qu'éclata le scandale dit de l'amiante à la faculté de Jussieu. On avait découvert que ce matériau, présent dans les bâtiments, et vieillissant mal, dispersait ses poussières et pouvait contaminer les étudiants. On ferma donc l'université.

Durant des années, une escouade d'ouvriers équipés comme des scaphandriers se chargea de peler le gros œuvre jusqu'à sa chair pour le rendre salubre.

La même année, Thetford Mines établissait ses records de production dans ses puits et le chrysotile du KB3 était partout, dans l'air, l'eau, la terre, les jardins, les maisons, les écoles, le macadam des rues et même l'église de Johanes Hansen.

La Thetford Mines Methodist Church, son presbytère, bâtie en 1956 par l'entrepreneur David Scott et située dans le quartier Mitchell, l'un des plus modestes et des plus exposés aussi aux exubérances de la mine, possédait une fiche de construction édifiante : « Relativement à l'extérieur : Revêtements dominants : Amiante. Murs : Amiante. Toiture : Plaques bardeaux d'amiante. » *Deo gratias.*

Mais que faisaient Dieu et Johanes Hansen dans un endroit pareil ?

Je suis arrivé au Canada en 1976, par un vol de vacanciers jovialistes, équipé d'un sac de voyage de toile kaki, de six misérables unités de valeur de l'UER de géographie de Toulouse qui ne suffisaient même pas à valider l'équivalent d'une première année, et d'un peu d'argent gagné en pariant, pour la première fois, en un jour de chance, sur la misère des chevaux de courses.

Des chiens me reniflèrent à l'aéroport pour s'assurer que je ne transportais pas avec moi des poudres, semences ou autres aliments susceptibles d'entrer en conflit avec les strictes lois de protection édictées par le ministère de l'Agriculture. Pas de bonnes ni de mauvaises graines, rien qui fût susceptible de germer, alors je montais dans l'autocar, place D1, près de la vitre. Tout au bout de la route 112, après trois heures quarante-cinq de voyage, j'arrivai, en fin de soirée, dans les gorges profondes du diable.

Le pasteur m'attendait au terminus. Rajeuni, il avait l'air d'un Danois épanoui en villégiature.

Je serrai cet homme dans mes bras comme je ne l'avais peut-être jamais fait jusque-là. Il me conduisit dans sa voiture, un break Ford Bronco 1966, qui semblait, lui aussi, avoir été extrait des strates du pléistocène et dont l'architecture mécanique n'avait visiblement jamais été confiée au Dr Felix Heinrich Wankel. Il nous mena cependant jusqu'au presbytère de la Methodist Church de Thetford Mines où mon père résidait. L'endroit était piqué de quelques sapins qui ombraient la façade et donnaient à l'édifice, d'allure fonctionnelle, un aspect plus en rapport avec l'idée que l'on se fait d'un lieu de prestations spirituelles.

Mon père ne me demanda pas si j'avais fait un bon voyage, ni si son ex-femme était encore en vie et si son cinéma persévérait dans ses inclinations d'arrière-gorge. Non. Ses premiers mots furent : « Tu as vu ces fosses ? Je n'arrive pas à m'y habituer. » Plus tard, après le dîner, en repensant à ces propos liminaires, je lui posai la seule question qui vaille, celle que j'aurais dû formuler le soir où il nous avait annoncé son exil pour le Canada. Au lieu de chercher un nouveau poste sur des territoires aussi lointains, pourquoi ne s'était-il pas tourné vers sa terre natale, sa péninsule du Jutland ? « J'y ai pensé, bien sûr. Mais je me suis rendu compte que je n'étais plus assez danois pour ça. Trop de temps passé en France, trop de temps passé avec ta mère. Trop de temps passé à apprendre à écrire correctement, à différencier tous ces mots qui se ressemblent parfois tellement, à retenir toutes ces règles grammaticales pour ne plus pratiquer et finir par oublier que "quand deux verbes se suivent le second se met à l'infinitif" ou que "le participe passé s'accorde quand le COD est placé avant". Ici, je retrouve un peu des deux mondes, d'un côté la langue de ton pays, de l'autre le climat du mien et le caractère fraternel des femmes et des hommes qui l'habitent. Pour ta première soirée, je pensais vraiment qu'on aurait pu parler d'autre chose. Notamment que tu me racontes un peu plus en détail quelle mouche a bien pu te piquer pour que tu ailles jouer aux courses et qu'en plus tu rafles le gros lot. »

Officiellement, Johanes n'aimait pas le jeu, mais je le sentais cependant tout excité à l'idée que son fils, en s'en remettant au seul bon vouloir de la chance, ait pu gagner en quelques secondes l'équivalent de trois mois de son salaire. Mais lorsque je lui proposai d'aller ensemble faire un tour aux courses, il se referma comme une porte de saloon. « Aucun serviteur ne peut être en même temps au service de deux maîtres. Luc 16:13-14. » C'était là le côté rigide, précis dans ses notations, pour ne pas dire chiant et rabat-joie du pasteur.

Hier soir, il y a eu un mort à la prison. Un détenu en a poignardé un autre dans sa cellule. Un gardien nous a fait le récit des événements. Le meurtrier, un certain Dusan, avait appliqué un oreiller sur le visage de son compagnon et l'avait égorgé, attendant qu'il arrête de bouger et se vide de son sang. Quand le calme était revenu, il avait tapé à la porte de la cellule pour prévenir les gardiens. Il n'avait fait aucune difficulté pour se laisser maîtriser. Il expliqua qu'il avait confectionné le couteau en limant plusieurs jours, sur le sol, un manche de fourchette. La victime s'appelait Sylvestre Aurèle.

« Je l'aimais bien, c'est vrai, je l'aimais bien, mais j'ai quand même dû faire ça. C'était un Haïtien et il avait beaucoup changé depuis quelque temps. La nuit il disait des choses et faisait le vaudou en me menaçant de maléfices. Il disait que le génie qui combat les voleurs et les criminels, Xêvioso, viendrait bientôt me foudroyer. Plusieurs fois je l'ai prévenu, je lui ai dit "Sylvestre, arrête avec ça ou je vais être obligé de te tuer". Mais il ne m'a pas cru. »

Je détestais ces histoires. Quand elles survenaient, elles me rappelaient dans quel endroit nous vivions, la nature des hommes avec lesquels nous partagions nos repas et, parfois, des moments de complicité, dans la cour ou les aires communes. Et pendant les jours qui suivaient, croisant mes semblables durant la promenade, je me demandais ce qu'ils avaient vraiment derrière la tête ou au fond de leurs poches.

« Je le connais bien Dusan. C'est pas un mauvais type, mais ici tout le monde sait qu'il a les fils qui se touchent. Quand c'était moi qui distribuais les pilules, je lui en livrais tous les soirs une bonne poignée. S'ils lui collent tout ça les toubibs, c'est qu'ils savent bien qu'il a un pet au casque. Mais c'est comme les dentistes, ils s'en foutent, ils font rien. Et demain, au lieu d'expliquer tout ça aux flics, que c'est un gars vraiment limite, ils fermeront leur gueule. Et Dusan, crois-moi, ils vont le charger. En tout cas, ça tient pas son histoire comme quoi Sylvestre voulait le marabouter et tous ces trucs. Sylvestre c'était un des types les plus gentils de la prison, pas agressif pour un rond et qui passait son temps à s'excuser. C'est sûr, il était haïtien, et alors ? Ils passent quand même pas tout leur temps à souffler dans le cul des poulets, les Haïtiens. De toute façon, demain, j'irai parler au chef pour lui dire que tout ce qu'avale Dusan, c'est pas normal. Ça changera rien, mais j'irai quand même lui dire au chef. »

Tout en tenant sa chronique de psychiatrie pénitentiaire, Patrick Horton feuilletait une vieille revue pornographique usée jusqu'à la corde datant probablement de son adolescence. J'ignore comment ce genre de magazine interdit par le règlement de la prison avait pu passer au travers des fouilles de cellule, sinon grâce à la bienveillante complicité des gardiens qui fermaient pudiquement les yeux sur cette relique d'un autre temps. Après avoir hésité un moment sur son choix, Patrick se concentra sur la photo d'une antique splendeur avec laquelle il devait entretenir une relation de longue date. Ensuite il ouvrit sa braguette, improvisa un « No Pants Day », et prit sa petite voix de tueur embarrassé : « Ça t'ennuierait de te tourner deux minutes, je vais me branler. »

La détention allonge les jours, distend les nuits, étire les heures, donne au temps une consistance pâteuse, vaguement écœurante. Chacun éprouve le sentiment de se mouvoir dans une boue épaisse d'où il faut s'extraire à chaque pas, bataillant pied à pied pour ne pas s'enliser dans le dégoût de soi-même. La prison nous ensevelit vivants. Les courtes peines peuvent espérer quelque chose. Les autres sont déjà dans la fosse commune. Et si d'aventure on leur accorde une remise de peine, ils iront, un moment, respirer l'air du dehors, mais reviendront ici, dans la maison des réprouvés, où on les appelle par leur nom, où on les traite comme des animaux de ferme.

Ma vie d'avant me manque au point que parfois je me surprends, la nuit, à serrer les dents et à les faire grincer. Ma vie d'avant, celle que je menais lorsque j'étais debout à la barre de *L'Excelsior*, lorsque Winona, fagotée comme un pionnier de l'aéropostale, posait son

Beaver monomoteur sur les lacs des Laurentides, lorsque Nouk, ma chienne éternelle, nageuse d'étang et coureuse de prés, engageait avec moi de longues conversations dont elle seule connaissait la teneur. Cette vie-là n'existe plus, et lorsque les portes de la prison s'ouvriront à nouveau pour moi, je me retrouverai sur le trottoir, devant le numéro 800 du boulevard Gouin, à devoir choisir une direction, et poursuivre ma peine incompressible sous une autre forme. Et cette fois je n'aurai même pas les revues préadolescentes et les selles postprandiales de Patrick Horton pour me distraire de moi-même.

Dimanche, je suis allé faire un tour à la messe donnée par l'aumônier de la prison. Dans une pièce éclairée de néons et qui sentait le crésyl, une dizaine de détenus, assis sur des chaises de cantine, regardait un pauvre bougre en surpoids qui, à chaque geste, donnait l'impression de vouloir se dépêtrer des habits sacerdotaux qui l'enserraient au point de limiter l'ampleur de ses gestes. Durant l'élévation, l'orchestique veut que l'officiant soulève le ciboire et le maintienne en l'air à bout de bras, le temps de réciter ses incantations. Mais dans le cas qui nous intéresse, le prêtre de garde, prisonnier de son obésité et des solides coutures des emmanchures de son déguisement, fut incapable de soulever la coupe au-dessus du niveau de son menton. Le geste manquait évidemment de grâce et s'apparentait à la requête d'un client secouant son verre vide à la barbe du barman.

Les célébrations catholiques m'ont toujours semblé surgir d'une autre époque, d'un autre monde, d'un âge sombre. Vêtus comme des empereurs incas, les célébrants marmonnent des incantations surjouées dans une langue morte, mélangent l'eau et le vin, bénissent un quignon de pain, et lors de la séquence dite de la « transsubstantiation » prétendent métamorphoser la vieille tranche d'azyme en une colombe divine. Même si aucun volatile n'est bien sûr jamais sorti de cette pièce, tous les prisonniers qui ont assisté à ces scènes vous diront qu'eux ont vu s'envoler l'oiseau. Parce qu'ils n'ont pas envie de discuter de tout ça, parce qu'il suffisait d'ouvrir les yeux au bon moment, parce qu'ils ont besoin de croire en cette histoire ancienne comme, avant eux, leurs parents et les parents de leurs parents s'y sont raccrochés, et que de surcroît on leur a bricolé un écrin bien pratique pour ranger tous leurs doutes, qui s'appelle la foi.

La foi, cet accessoire professionnel qu'un jour mon père m'a avoué avoir perdu, dont il avait longtemps rebattu les oreilles de ma mère, et à l'intérieur duquel il disait, souvenez-vous, vouloir juste demeurer, juste un moment, oui, juste « quelques heures dans la perfection de la foi ».

« Qu'est-ce que t'es allé foutre là-dedans ? Depuis quand tu vas à la messe, toi ? Sans déconner, tu dévisses, bonhomme, tu dévisses. En plus dans un endroit pareil, minable et qui pue la pisse. Dans une église, juste une fois, je dis pas, pour voir le spectacle, les dorures, respirer leur herbe, écouter la musique, une fois, ok, pourquoi pas. Mais ici, avec la chorale des losers, non. T'as vu le curé ? Putain, je le sens pas. Il a une tête à clouer les pattes des chats. S'ils l'envoient ici, t'en fais pas, c'est que personne en veut plus ailleurs. Non, crois-moi, c'est pas fait pour nous ce truc-là, mec. De quoi il a parlé Moïse ? »

Moïse s'était tourné vers son maigre auditoire et s'en était sorti avec un psaume de circonstance. « Dans leur angoisse, les captifs ont crié vers le Seigneur et lui les a tirés de la détresse. Il les délivre des ténèbres mortelles, il fait tomber leurs chaînes. Amen. » Cela ne l'engageait pas à grand-chose mais avait au moins le mérite de la concision. On était bien loin des grandes amplitudes paternelles où au détour de chaque chapitre on percevait les picotements du printemps, le murmure permanent de la nature, le bruissement du vent dans les hautes herbes, l'enthousiasme de la toilette des merles perchés sur les branches basses. Le fond de ses prédications, comme tous les bavardages bibliques, se noyait dans les siphons de la raison, mais son style était unique, cette manière si simple et tellement nordique qu'il avait de vous faire ressentir que tout ce qui nous entoure n'est que vie, que chaque chose a son sens et son prix, et qu'il suffit de prêter son attention et son regard pour comprendre que nous faisons tous partie d'une gigantesque symphonie qui, chaque matin, dans une étincelante cacophonie, improvise sa survie.

Je ne parle pas souvent de ma mère. Peut-être parce que je n'ai jamais su pourquoi elle avait prématurément quitté l'orchestre. Sur sa table de nuit, une longue partition médicamenteuse, une cantate de molécules savamment dressées pour faire taire les battements des cœurs, et rien d'autre, pas même une note de bas de page adressée à son compagnon suisse, son ex-mari danois ou son fils hexagonal. Anna s'est suicidée à soixante et un ans, le 14 mai 1991, le jour même où Jiang King, la veuve de Mao Tsé-toung, avait mis fin à ses jours par pendaison.

Je me demande si ma mère était malade, si elle était triste, trop seule, si elle avait fait fausse route avec le Suisse, si le cinéma lui manquait, si elle pensait souvent à la DS de ses parents, si elle avait honte de moi, si elle avait aimé mon père, si elle l'avait souvent trompé, si elle avait eu peur ou éprouvé un regret une fois tous ces cachets avalés, si elle se souvenait des lames de parquet grinçantes de notre appartement, si elle venait m'embrasser la nuit quand j'étais un bébé, si elle me prenait contre elle pour me rassurer, si elle savait que je la trouvais très belle, plus brillante que mon père et que j'aimais tous ses films, si elle se souvenait de notre voyage au Danemark, si elle savait toujours ce que voulait dire *Jeg elsker dig min søn*, si elle était encore capable de le traduire en « Je t'aime mon fils », si nous avions jamais eu quelque chose en commun, elle et moi, qui nous lie à jamais, si elle savait qu'en mai 68, j'avais découpé et gardé le dazibao qui aurait sans doute fait sourire Jiang Qing au bout de sa corde : « Godard, le plus con des Suisses pro-Chinois. »

Au fil du temps, quand je repense à tout cela, j'en arrive à me dire que ma mère aurait été un père formidable. Elle aurait fait merveille pour nous tracter dans son sillage, nous emporter à toute vitesse à bord de sa petite embarcation apte à semer les ennuis, à se faufiler entre les embûches, à tenir tête aux fâcheux. À l'inverse de mon père qui ne pouvait jamais traiter qu'une seule chose à la fois, j'ai toujours pensé qu'Anna avait deux cerveaux. L'un, posé, réfléchi, dédié à l'analyse, à la recherche, au concept, l'autre, toujours en charge, à bloc, traitant sans cesse des données multiples, menant de front plusieurs tâches, passant d'un pied sur l'autre, et pilotant l'ensemble du convoi à tombeau ouvert. À l'inverse de la maman de Patrick Horton, la mienne n'aurait jamais glissé une bible dans mon sac avant mon départ pour la prison. Je crois plutôt que sur le pas de la porte elle m'aurait dit quelque chose d'encourageant et de profondément caustique comme : « Les gens qui travaillent s'ennuient quand ils ne travaillent pas. Les gens qui ne travaillent pas ne s'ennuient jamais. »

La petite église de mon père, à Thetford Mines, était d'une facture modeste, résolument méthodiste. Attenante au presbytère où il vivait, elle avait été construite en 1957 d'après les plans de l'architecte Ludwig Hatschek. Selon les termes appropriés, elle possédait une nef à un vaisseau, une assise rectangulaire, chœur en saillie, chevet plat, et une voûte en arc en mitre. Pour dire les choses plus clairement, avec ses membrures régulières striant les plafonds, cette église faisait étrangement penser à l'intérieur d'une barque qui avait chaviré. Avec son vitrail paisiblement lumineux, ses fenêtres en arc brisé, son allée centrale lissée de moquette pourpre, ses doubles rangées de bancs en bois blond, ses murs poudrés de crème, ses lustres pareils à de grands bocaux emplis de miel, la Methodist Church de papa était à son image, accueillante, placide, douce et sacrément costaude. Elle était implantée dans le quartier Mitchell, plutôt anglophone, mais les prédications prononcées « en français de France » ne semblaient poser de problème à personne. En quelques mois, Johanes avait réussi ce petit tour de force : s'adapter à sa nouvelle communauté et se faire adopter par elle. Chaque dimanche il remplissait sa barque et, durant la semaine, participait, en ville, à toutes sortes d'activités qui sortaient parfois du cadre de son ministère. On eût dit que l'homme était né à quelques fosses, à une poignée de cratères d'ici. Une fois par mois, le dimanche, il ajoutait un office supplémentaire qu'il avait appelé « la célébration des mineurs ». Et comme dans un film édifiant des années 40, on avait vu des hommes, grisés d'amiante, encore en tenue de travail, remonter des puits, entrer dans la barque et se laisser emporter sur le paisible flot de paroles de celui qui ne leur promettait rien d'autre qu'un peu de répit et de repos à la surface de la terre.

Au bout de quelques mois passés en sa compagnie, il m'apparut comme une évidence que le pasteur avait trouvé ici sa place. Un monde fait de gens qui finalement n'étaient pas si différents de ceux de la péninsule, partageant une bienveillance réciproque. Son univers se résumait au petit catalogue d'une vie courante, un Ford Bronco 66 sans histoires, des montagnes dans le lointain, des fosses abyssales à deux pas de la maison, et tout le temps pour écrire ses petites affaires, entretenir sa barque, célébrer ce qui doit l'être, et peut-être, penser de temps en temps à une femme du quartier, à l'abri de ses résineux.

Telle était au début de l'année 1977 la vie du pasteur Johanes Hansen.

Pour ma part, j'avais loué un appartement sur la rue Notre-Dame et trouvé un emploi dans une petite entreprise générale de construction où j'étais devenu un homme à tout faire en l'espace de quelques mois. J'avais appris en accéléré la plupart des métiers du bâtiment, et la grande variété des chantiers que traitait l'entreprise me permettait, sous tutelle, d'apprendre tout en donnant le meilleur de moi-même. L'entreprise DuLaurier tenait tout entière dans la camionnette Ford Econoline de la compagnie. Au volant, Pierre DuLaurier, le père ; à ses côtés, Zac et Joseph, les fils ; et à l'arrière, partageant la place avec les machines et les outils, Joe Schmidt l'apprenti principal et moi, l'arpète.

Pendant les beaux jours, avant les neiges et le gel, nous nous consacrions à tous les travaux d'extérieur et de gros œuvre. L'hiver venu, nous rentrions nous mettre à l'abri en fabriquant des parquets de bois, en ajustant des panneaux de triplex, des plaques de plâtre, des manteaux de cheminée, et en disciplinant une tuyauterie disparate qui ne demandait qu'à partir dans tous les sens. Mes mains saignaient, mes genoux enflaient, le dos me faisait mal, mais j'aimais bien ce travail. Sitôt finie une salle de bains, nous sautions dans une autre maison pour bâtir un garage en clins, ou refaire un réseau électrique endommagé par un gang d'écureuils. Zac et Joseph respectaient profondément leur père, lequel n'élevait jamais la voix pour donner un ordre à Joe et sifflait en permanence des mélodies connues de lui seul. Pour ma part, on me montrait en début de matinée ce que je devais faire, comment y parvenir en évitant de priver tout le quartier d'électricité. Sans me poser trop de questions je m'attelais, au gré des jours, à ces missions multiples.

L'idée de vivre dans une ville ouatée d'amiante, poudrée par le poison, guettée par l'asbestose, ne me préoccupait pas plus que les autres résidents de Thetford Mines qui naissaient, grandissaient, apprenaient, flirtaient, baisaient, se mariaient, s'assuraient, travaillaient, divorçaient, socialisaient, rebaisaient, vieillissaient, toussaient, et mouraient entre les monts et cratères, les terrils et les fosses.

Selon les saisons, le pasteur et moi faisions des virées jusqu'au lac Memphrémagog qui partage ses eaux entre le Canada et les États-Unis, ou bien vers North Hatley et ses maisons loyalistes. Nous nous arrêtions aussi toujours à Sherbrooke où vivait Gérard LeBlond, l'organiste de la Methodist Church. Tous les dimanches, il faisait la route jusqu'à Thetford Mines pour enluminer les offices de sa musique plus ou moins sacrée. Mais cet homme au profil de séducteur hollywoodien des années 40, dont, secrètement, devaient rêver toutes les paroissiennes en âge de commettre le péché des sens, était un organiste hors du commun, un musicien phénoménal aux doigts arachnéens tissant d'infinies toiles de notes sur les claviers superposés de l'orgue Hammond B3 avec son pédalier de bois, ses jeux de tirettes, ses roues phoniques, ses quatre-vingt-onze pignons et sa cabine Leslie. Mon père avait trouvé, livré avec l'église, cet instrument incroyable et résolument profane, généralement utilisé par Procol Harum, The Doors, The Animals, Percy Sledge ou James Brown. Mais quand Gérard LeBlond s'installait aux claviers, bien avant les offices, on aurait dit que Jimmy Smith, Rhoda Scott et Errol Parker s'étaient donné rendez-vous pour faire regretter à Dieu, s'il avait existé, de ne pas avoir lui-même canonisé Laurens Hammond, l'inventeur de ce prodigieux instrument. Dans cette église vide, quand LeBlond s'asseyait à sa table de travail, quand ses doigts convoquaient tous les diables du jazz, du blues et du swing, la vieille barque se soulevait soudain, les cieux viraient au bleu, le bonheur s'engouffrait dans les nefs et les tympans, Jésus rentrait dans sa tombe, et Gérard, le prélat de Sherbrooke, régnait en unique maître au plus haut des cieux.

Ensuite, après les riffs et les bourrasques, chaque chose redescendait lentement sur terre, reprenait une place assignée. Comme si rien n'était arrivé, les premiers méthodistes entraient à l'heure dite au son d'un tempéré prélude de Bach qui, lui-même, s'asseyait, paraît-il, chaque dimanche, parmi les fidèles, pour entendre la suite.

Mon père avait parfaitement mesuré l'impact que le brio exceptionnel de ce musicien pouvait avoir sur la popularité de ses offices ; si bien qu'au bout de quelques années, il était difficile de dire si c'étaient la parole de Dieu ou les accents du diable que l'on venait écouter ici. Que l'on venait voir aussi, car les fidèles arrivaient désormais de plus en plus tôt pour obtenir les meilleures places, celles des tout premiers rangs offrant un point de vue saisissant sur la fluide précision des doigts de l'artiste et sur l'incroyable ballet de ses pieds virevoltant, sautant, bondissant de note en note sur les deux octaves du pédalier. Vu de dos, son jeu de jambes ressemblait à la course d'un homme perdu hésitant sur la direction à prendre, lançant un pas vers la droite, revenant sur son choix, virant à gauche, pour se jeter au centre avant de reproduire sa chorégraphie erratique qui semblait ne mener nulle part et qui, pourtant, suivait pas à pas les chemins rigoureux de la transcription. La virtuosité des orteils de LeBlond était devenue aussi légendaire que celle de ses phalanges. Dans cette communauté on lui avait donné le surnom de « Gérard quatre-mains ».

Mon père n'était pas peu fier de ce partenaire enchanteur devenu peu à peu son ami et l'attraction principale de ses offices. Pour s'en convaincre, aux alentours de midi, il n'était que de voir la foule se presser autour de lui sur le parvis quand Johanes, légèrement en retrait, ne serrait les mains que de quelques béotiens qui n'avaient jamais entendu la moindre musique en dehors des grands magasins, des salles d'attente et des ascenseurs.

Lorsque nous nous retrouvions pour boire un verre, Gérard ne pouvait à chaque fois s'empêcher de nous instruire mon père et moi sur les secrets de fabrication d'un B3 Hammond. « C'est un truc de dingue. Une machine infernale. Imagine quatre-vingt-onze pignons avec chacun un nombre de dents qui lui est propre. Ensuite, tu les fais tourner dans le champ magnétique d'un aimant. Là, une bobine calée sur chaque aimant devient elle-même un capteur pour le champ magnétique variable ré-induit par les roues, elles-mêmes fabriquées dans un matériau ferromagnétique. C'est ça le secret de Laurens Hammond, une alchimie entre les pignons, les champs magnétiques et les capteurs. C'est grâce à ces alliances électromécaniques et en jouant sur les "drawbars" que tu peux aussi bien jouer du Patterson, du Haendel, du Earland ou du Bach. En ajustant tes tirettes ou en évitant les "clicks". Laurens était vraiment un drôle de bonhomme. J'ai lu qu'il avait passé une partie de sa jeunesse en France, où, à quinze ans il a proposé à Renault un système de boîte automatique pour ses voitures. Puis en Amérique, il a inventé en 1922 un système de vision en 3D, fabriqué des horloges bizarres, et acheté un piano pour le démonter et, avec l'aide de son comptable qui officiait au clavier dans les églises, fabriquer un orgue avec des bouts de fil, des roulettes crantées, des aimants, des bobines branchées à tout ce qu'il avait dans la tête. C'est comme ça qu'est née la marque. Dans la foulée, il a aussi produit en 1932 le premier synthétiseur polyphonique, le Novachord. Ce type était incroyable. Il passait son temps à inventer des systèmes. Après la musique il a déposé des brevets pour de nouveaux gyroscopes et surtout, avant de mourir, construit pour l'armée un nouveau système de guidage de missile. »

Quel rapport entre le fracas des bombes de McNamara et le souffle flûté d'un B3 sur le *Te Deum* de Bruckner ? Aucun, sinon que ces deux partitions dissonantes et antinomiques figuraient en même temps dans la tête d'un seul et même homme comme la cavalcade erratique de l'esprit sans conscience, appuyant, au hasard, sur le vaste pédalier de la connaissance.

Sans tapage ni exaltation, ma vie, peu à peu, s'organisait dans cette étrange petite ville. Les belles journées de printemps pouvaient donner au centre de Thetford une atmosphère pimpante et offrir un surcroît de charme aux belles demeures de style anglais. Je travaillais, je rencontrais des femmes de mon âge, j'allais faire du canot sur les lacs et j'avais même acheté à Joseph, le fils de mon employeur, une petite Honda Civic de 1974, pesant à peine 600 kilos et qui avait pour particularité de posséder un moteur tournant dans le sens inverse de celui des aiguilles d'une montre, singularité d'ailleurs commune à tous les modèles de la marque.

Après un chantier copieux et rondement mené, Pierre DuLaurier nous emmenait tous dîner au restaurant. En hiver, le menu se résumait à un pâté chinois, sorte de gratin composé de viande hachée, de maïs en grains et d'un nappage de purée au fromage. En été, à la même table : coleslaw, poulet au miel et frites. Durant ces réunions de comptoir, DuLaurier refaisait le monde de l'ouvrage, « crissait une claque dans la face » d'un ou deux politiciens, promettait que l'année prochaine, on s'agrandirait et embaucherait, puis laissait ses deux fils se moquer gentiment de la petite Honda qu'ils m'avaient rétrocédée : « Elle est cosy et y a de la place dedans, à condition de pas porter de montre. »

Les années passant, je remarquais le déclin des ardeurs spirituelles du pasteur, sa lassitude, ses difficultés à porter la parole des livres, son incapacité à prier et à transmettre ce pour quoi il était payé. Mais il continuait à vivre dans la règle, à tenir le presbytère et la grande barque qu'on lui avait confiée. Chaque dimanche, Gérard se faisait un devoir d'assurer le spectacle, et même si tout ce Barnum ne représentait plus grand-chose pour lui, il continuait d'écrire, avec peut-être même encore plus de soin qu'il ne l'avait jamais fait, de raconter l'histoire éternelle des hommes, du monde qui les entoure et de ses animaux, citant souvent l'évangile selon Konrad Lorenz ou Maurice

Maeterlinck, reprenant tout à chaque fois, depuis le début, tout, depuis ce jour où le ciel et la terre eurent à se partager les âmes, et où chacun fut mis en demeure de choisir entre le bien et le mal.

Lorsqu'il voulait surmonter le malaise de sa position et de sa condition, mon père enfilait sa tenue de ville et s'en allait visiter les somptueux locaux de la concurrence, l'église Saint-Alphonse, au 34 de la rue Notre-Dame, à deux rues du bureau de poste et de la gare routière. Il s'arrangeait pour s'y rendre en heure creuse et l'explorait, les mains croisées derrière le dos, de ce même pas que l'on adopte dans un musée. Cet édifice – et tout son contenu – était répertorié au Patrimoine culturel du Québec et réputé comme étant l'un des plus riches et des plus beaux du pays. Ici, évidemment, pas la moindre trace d'amiante, rien que des matériaux nobles. Les lustres aux cent bougies, les autels mafflus, les statues peintes, les boiseries travaillées, les sculptures de pierre, les tableaux édifiants, les enluminures, partout, témoignaient de l'opulence de ce clergé catholique qui avait longtemps régné en maître sur les corps et les âmes des gens de ce pays dont les femmes, souvent dix fois mères, alimentaient la chaudière insatiable d'une Église toujours plus exigeante. Tout ce que l'on voyait, du sol au plafond, ce qui tintait ou brillait, n'avait pas été édifié pour célébrer un Dieu, mais bien pour témoigner de l'œuvre du clergé, du règne, de l'orgueil et de la puissance de Rome.

Et il faut le reconnaître, c'était du travail soigné. Voûte arrondie, caissons multiples, transept à trois vaisseaux, partout de la pierre et du bois massif, des bancs épais comme des arbres, travaillés à l'identique, décoration entièrement baroque. Et de l'art, partout, sous toutes ses formes, des tableaux et des tissus brodés, des autels dorés à l'or suisse, des boiseries peintes en un vert allégé, et l'odeur, l'odeur des maisons bien tenues. À tout cela il fallait ajouter huit stations de décontamination, huit parloirs de la faute, huit confessionnaux intimidants dont la taille et le nombre laissaient penser que Satan venait dîner en ville tous les soirs. Et enfin, perché sur le dernier balcon de la place, dominant de ses cuivres toute la baie des fidèles, un orgue Casavant, opus 150, assemblé en 1902, avec vingt et un jeux, vingt-sept rangs, plus un autre jeu de bombarde au pédalier, et des tuyaux plus qu'il n'en fallait.

Dans cet univers stuqué, tout tournait dans la tête de mon père, la barque chavirée, le B3 à pédales, les roues phoniques ferromagnétiques, les pieds de Gérard, les bancs de pin, les murs dépouillés, James Brown et Jimmy Smith grimpant au plafond, et tout ce putain de bordel qui se mettait à swinguer, tandis que la cabine Leslie faisait monter la sauce, et que dehors, même les sapins baumiers balançaient leur carcasse dans le rythme du vent. Le souffle de cette comédie musicale lui redonnait simplement un peu de foi en lui-même, l'envie, aussi, d'essayer de retrouver le lapin, le chapeau et, qui sait, un peu de magie. Convaincu que sa place était parmi les Anglais dans son quartier Mitchell, il retournait en sifflotant vers son presbytère, bien loin de Rome, de ses pompes et de ses œuvres.

Sur le chemin du retour, engageant cette fois le pas du pèlerin, il songeait à ces églises de banquiers bâties comme des sièges sociaux, sans mesure ni réserve, vitrines destinées à l'étalage de toute cette joncaille, cette verroterie de négoce qu'on utilisait autrefois pour acheter la terre et la mémoire des Indiens.

Janvier n'en finit pas et le froid ne relâche pas l'emprise qu'il exerce sur nous tous. Les températures, la nuit, ont encore baissé mais dans les cellules, le thermomètre s'est stabilisé entre 15 degrés et 16 degrés. Tous les fleuves sont gelés et les chutes du Niagara sont prises dans le cristal des glaces. Patrick m'a montré des photos dans un journal. « Il paraît que c'est un record, ça n'avait jamais été aussi épais. C'est énorme. On dirait de grosses stalactites. Tu noteras que j'ai pas dit stalagmites. C'est un prof qui nous avait appris un truc pour faire la différence entre les deux : stalactite tombe, stalagmite monte. C'est top, non ? De loin, sur l'image, ça me fait penser à la fontaine qui est dans le petit parc de chez moi, mais en plus gros. Dans le parc c'est une statue de gonzesse presque à poil qui tient une sorte de vase sur l'épaule et c'est de là que l'eau coule. Quand ça gèle, ça ressemble à rien, sauf aux machins du Niagara, mais en vraiment plus petit. Quand tu vois la taille des chutes, le poids, tu te demandes comment ça peut tenir debout. D'après toi, quand ça va fondre, la glace va tomber d'un coup ou par petits paquets ? »

C'étaient là les typiques circonvolutions de l'esprit de Patrick, lesquelles se concluaient immuablement par une foudroyante question hortonienne. Aussi déroutante qu'une plaque de verglas. Qu'en dire alors ? Que répondre ?

Hier, au parloir, j'ai passé un bon moment. Une nouvelle visite, la huitième de Kieran Read, la seule personne qui depuis plus d'un an se préoccupe de moi, la seule et unique personne qui, dans mon affaire, ait pris ma défense, du début jusqu'à la fin, s'opposant fermement à mon licenciement, défendant ma fragile position face à mon employeur, avec la même conviction dont il fit preuve ensuite devant le juge au tribunal. Son opiniâtreté n'aura pas servi à grand-chose, sinon à lui assurer de solides inimitiés à l'intérieur de l'immeuble.

Kieran Read est l'un des soixante-trois copropriétaires possédant à Montréal, quartier Ahuntsic, un appartement dans le condo *L'Excelsior* dont j'ai été, pendant vingt-six années, le superintendant, le concierge, le factotum, l'infirmier, le confesseur, le jardinier, le psychologue, l'électronicien, le plombier, l'électricien, le cuisiniste, le chimiste, le mécanicien, bref l'honorable gardien de ce petit temple dont je possédais presque toutes les clés, dont je connaissais tous les secrets.

L'appartement 605 est celui de monsieur Read. Il est situé au sixième et dernier étage, ouvre sur la piscine, le jardin, et offre, vers les heures du soir, une lumière adoucie et un point de vue avantageux sur un large bouquet d'érables au houppier fourni. Kieran Read, québécois d'origine anglaise, a réalisé une grande partie de sa carrière professionnelle aux États-Unis où il exerçait avant de prendre sa retraite un bien étrange métier : évaluer le prix des morts. Dans sa langue maternelle, son activité est celle d'un *casualties adjuster*. Monsieur Read a essentiellement travaillé de manière indépendante, hélé à la demande, comme un taxi du malheur, loué par des compagnies d'assurances soucieuses de préserver leurs intérêts et de négocier à la baisse la valeur d'un défunt, lorsque survient un drame et qu'elles doivent indemniser la famille de la victime.

Kieran Read, l'un des plus anciens résidents, a toujours mené une existence discrète. Secrète, diront ses détracteurs. Il n'entretenait pas de relation suivie avec ses voisins et ne sociabilisait que très rarement dans les espaces communs ou au bord de la piscine. Il n'était pas non plus très assidu aux assemblées de la copropriété, se contentant de régler le montant de ses charges dès leur réception. Habitués à le voir se faufiler dans cette vie de silence et de retrait, les résidents furent d'autant plus surpris de découvrir ce personnage, qu'en fait ils connaissaient à peine, se muer en un virulent défenseur du plus humble serviteur de *L'Excelsior*.

Quand il rentrait de mission, souvent tard le soir, monsieur Read sonnait à mon appartement de fonction, histoire de bavarder un moment et de prendre un verre. Je savais qu'il n'avait pas envie de monter tout de suite au sixième et de se retrouver seul avec son dossier, où l'on avait serré la photo d'un mort sans tête ou celle d'un enfant écrasé par un camion. Alors il sonnait chez moi, s'asseyait sur le canapé, me racontait son voyage, le purgatoire de l'embarquement, les turbulences du vol, l'inconfort des sièges de la United, puis après avoir tergiversé un moment sur les aléas du transport aérien, et parce qu'il fallait bien en passer par là, il me livrait la triste teneur de son nouveau mandat, une nouvelle incursion dans le chagrin, la douleur et l'hébétude. C'étaient à chaque fois d'invraisemblables et d'horribles histoires qu'il allait devoir gérer et digérer, en fouillant les poches et la mémoire des morts. Parfois, les défunts avaient menti, trompé, trahi, dissimulé. Et le travail de Read, justement, consistait à faire parler les morts. Même si cela avait longtemps été un problème pour lui d'exercer ce métier, Kieran me disait qu'avec les années, il avait fini par s'habituer à vivre dans cet univers où la vérité se situait souvent à mi-chemin des vivants et des disparus, dans les limbes d'une comptabilité macabre. En tout cas, lorsque l'*adjuster* revenait de voyage, les premiers mots qu'il m'adressait en entrant chez moi étaient presque toujours les mêmes : « Aujourd'hui,

Paul, vous voyez, je suis sûr d'une chose : je n'ai rendu personne heureux. »

Comme à chaque fois, sa visite m'a fait du bien. Elle m'a réconcilié avec le monde du dehors. La confiance que me témoigne cet homme m'apaise, me calme, me rassure. Hier nous avons parlé de *L'Excelsior*, celui d'avant, celui du début, celui que nous sommes aujourd'hui bien peu à avoir connu. Avec ses arbres chétifs, ses massifs miniatures, ses bosquets débutants, son timide gazon souffrant d'alopécie, le jardin n'était encore qu'un terrain d'expérience, demandant de l'attention, des soins, et ce qu'il faut d'eau pour que la vie s'installe durablement. « Ce jardin, Paul, on vous le doit. Quand je vois la robuste splendeur qu'il est devenu en trente ans, moi qui l'ai vu à sa naissance, je n'en reviens pas. Votre père était pasteur, n'est-ce pas ? Il vous a légué les doigts de Dieu. Mais le type qui vous a remplacé, lui, ne connaît absolument rien aux végétaux. Il tond ce qui pousse et taille ce qui dépasse. Fin de l'histoire. Il ignore tout des maladies qui frappent les plantes, de leurs besoins en eau spécifiques, des espèces qu'il faut emmailloter pour l'hiver. Il est très différent de vous. Très. Il n'a pas de goût pour les choses et les traite sans égards. Le seul moment où on dirait qu'il s'anime, qu'une forme de sensibilité l'habite, c'est lorsqu'il descend au garage vérifier le niveau de lubrifiant de sa Chevrolet. Je ne vous raconte pas d'histoires, Paul. Ce gars-là est obsédé par ce moment quasi religieux où il retire la jauge de son conduit pour s'assurer de la conformité du niveau. Un jour, je l'ai observé pendant qu'il effectuait cette opération, et c'était patent : ce garçon atteignait là son point de satisfaction. Autre singularité, j'ai remarqué son penchant pour les pneumatiques de sa voiture. Il passe un temps infini, non seulement à les nettoyer à la brosse, mais ensuite à les enduire d'une sorte de cire lustrante qui leur donne un petit côté "tenue de soirée" totalement ridicule. Ce type aime vraiment ses pneus, aucun doute pour moi. Vous m'imaginez aller sonner à sa porte pour bavarder, comme nous le faisions, mais, cette fois, des mérites comparés d'un Goodyear quatre saisons avec les derniers Firestone "spécial hiver" ? Vous voyez, je ne pardonnerai jamais au président des copropriétaires de vous avoir mis dehors. Encore moins de vous avoir remplacé par un maniaque de la lubrification et des chambres à air. »

Entendre à nouveau la voix de Read, ce ton persifleur terriblement anglais, ces compliments botaniques associés aux petites méchancetés épinglées sur le dos de mon successeur, m'a fait un bien considérable au point de me rendre l'ordinaire de la prison supportable, le froid anecdotique, et les séances de poussées hortoniennes presque divertissantes. Tout à l'heure, après s'être mis en place, Patrick a produit un long effort couronné de succès. Tout au long de l'opération il m'a regardé fixement, arborant cet air gauche et perplexe qu'adoptent souvent les chiens surpris dans l'accomplissement de leurs œuvres.

Et l'orgue cessa de jouer

Les années passaient et, respectant à la lettre les termes de son mandat, le pasteur s'accrochait à ses Anglais, lesquels, de leur côté, fréquentaient surtout l'église pour voir les malléoles de LeBlond twister sur le pédalier. Pour ma part, j'avais gravi un échelon dans la confrérie des bâtisseurs puisque Pierre DuLaurier me confiait désormais des petits chantiers ainsi que la formation sommaire d'un nouvel apprenti, Bob Woodward, qui refusait obstinément de parler une autre langue que l'anglais. Toute la journée, les « fuck » et les « shit » volaient en escadrille, ce qui n'est jamais très bon signe. Mais Bobby, comme l'appelait le patron, malgré ses énormes carences et pas mal de suffisance, semblait jouir d'une certaine impunité.

À vingt-six ans, je devais reconnaître que les Thetfordoises ne se bousculaient pas à ma porte, et je compensais cette carence par la pratique intensive du canoë dès que la saison le permettait. Je mettais mon embarcation à l'eau le matin pour ne l'en sortir que le soir, pagayant tout au long du jour sur l'épiderme laqué des eaux sombres des lacs Magog, Massawippi, Aylmer, ou Saint-François. Tous étaient différents, avec leurs odeurs propres, leurs habitudes de vent, leurs invisibles veines de courant. Mais tous étaient porteurs de cette force vitale, de ce bonheur primaire qui me donnait cette irréfragable envie d'arriver jusqu'à l'autre bout, d'y parvenir, quoi qu'il m'en coûte, où qu'il se trouve.

Tandis que je ramais, que mon père prêchait, que Gérard pédalait et que l'amiante s'effilochait, quelque chose était en train de se mettre en place dans cette province, un mouvement tellurique qui ébranlait l'État fédéral et glaçait le trône d'Angleterre. Le Québec avait engagé un processus référendaire en vue d'obtenir son indépendance, de donner son congé à Ottawa, de tirer sa révérence à Londres, et de vivre entre les siens le reste de son âge. Soigneusement empaquetée et enrubannée par le politicien René Lévesque et le Parti Québécois, la question référendaire relative à l'indépendance de la province fut déposée au pied du sapin fédéral le 20 décembre 1979 mais aussi dans les pattes du gouvernement de Pierre Elliott Trudeau, qui, bien que québécois lui-même, s'opposait farouchement à cette idée de divorce camouflé en « souveraineté-association ». En tout cas, chacun connaissait désormais le mode d'emploi d'un avenir qu'il aurait à choisir en se déterminant à partir d'un texte élaboré au Parti Québécois par de sacrés jésuites, dont l'un fut d'ailleurs plus tard soupçonné d'être une taupe de l'État fédéral. « Le Gouvernement du Québec a fait connaître sa proposition d'en arriver, avec le reste du Canada, à une nouvelle entente fondée sur le principe de l'égalité des peuples ; cette entente permettrait au Québec d'acquérir le pouvoir exclusif de faire ses lois, de percevoir ses impôts et d'établir ses relations extérieures, ce qui est la souveraineté, et, en même temps, de maintenir avec le Canada une association économique comportant l'utilisation de la même monnaie ; aucun changement de statut politique résultant de ces négociations ne sera réalisé sans l'accord de la population lors d'un autre référendum ; en conséquence, accordez-vous au Gouvernement du Québec le mandat de négocier l'entente proposée entre le Québec et le Canada ? »

Même la maison DuLaurier aurait refusé de construire quoi que ce soit à partir d'un plan aussi maladroit quand, de surcroît, l'architecte de cet empilement, au comble de son impéritie, fait, en un seul texte et à trois reprises, usage du point-virgule, ponctuation de l'embarras et du doute, révélatrice d'un esprit timoré hésitant entre la tentation d'en terminer une bonne fois pour toutes ou de continuer la phrase pour voir jusqu'où elle nous mène.

Le mardi 20 mai 1980, après une rude campagne qui alla même jusqu'à instaurer des lignes de démarcation à l'intérieur des familles, le peuple du Québec mit 2 187 991 fois le bulletin intitulé « Non merci ! » dans les urnes et rejeta à 59,56 % l'idée de confier son avenir à trois points-virgules.

En tant que résidents permanents, mon père et moi n'avions évidemment pas participé au vote. En revanche, chez les DuLaurier, qui avaient martelé l'espoir indépendantiste, tout le monde était dévasté. Ils étaient assis devant la télévision, sauf Woodward, sans doute occupé à fêter la victoire des fédéralistes avec quelques suppôts de la Couronne. À un moment de la soirée, René Lévesque apparut sur l'écran. Avait-il prémédité sa phrase, ou lui fut-elle inspirée par la fierté, la tristesse et la colère mêlées de ses partisans ? Ceux qui étaient devant leur télévision cette nuit-là ne se posèrent pas la question. Quand ils entendirent cet homme leur dire « Si je vous ai bien compris, vous êtes en train de nous dire à la prochaine fois ! », ils se regardèrent les uns les autres et virent que leurs yeux, à tous, étaient emplis de larmes.

Mon père mit à profit les cinq jours qui le séparaient de sa prochaine prédication pour écrire un texte dénué de points-virgules et inspiré largement du message d'espoir de Lévesque. Ce long discours vantait le rôle primordial que prend la foi quand on se lance dans le combat d'une vie, cette quête permanente et toujours difficile pour conquérir la grâce, soit, ici, en sous-texte, l'indépendance.

Mon père et la foi. Il n'en avait jamais autant parlé que depuis qu'il l'avait perdue. « Même lorsque vous vous retrouvez à terre, que vous croyez que tout est terminé, que vous doutez, relevez-vous et croyez, croyez par-dessus tout et contre tous, car le Seigneur est auprès de vous et c'est sa voix qui vous dit qu'il y aura une prochaine fois, et si cela est nécessaire, une autre encore, et alors, à la fin des fins, au bout du chemin vous entrerez enfin dans la Maison. » Rien de très nouveau, du classique, du conventionnel, mais cinq jours après la brève épître lévesquoise, cette ode à l'espoir têtu de mon père fit tressaillir l'échine de ses Anglais qui, ce dimanche-là, ne s'attardèrent pas longtemps sur le parvis.

En 1980, les mines étaient encore à l'ouvrage et les hommes pompaient sans gêne dans le pléistocène. Pour s'enfoncer plus profondément, creuser davantage les puits, mettre au jour de nouvelles veines, les entreprises avaient recours à la dynamite. Régulièrement, d'énormes explosions ébranlaient la terre et la ville que l'on avait posée dessus. Au fil du temps et des grignotements, les béances s'étaient rapprochées des maisons et des quartiers habités. Il n'était pas rare que, dispersées par ces bombardements à ciel ouvert, des pluies de fragments de terre, de roches et de cailloux s'abattent sur les maisons voisines, les hommes qui y vivaient et les voitures que l'on y parquait.

À la fin des années 60 s'était produit ici un évènement qui, dans sa violence, allait préfigurer les nouvelles méthodes et les priorités du monde à venir. Au prétexte de vouloir mettre les habitants à l'abri des retombées, mais ayant en réalité découvert que, sous les habitations du quartier Saint-Maurice, se trouvait un nouveau filon qu'il n'était pas question de laisser filer, les compagnies décidèrent de faire place nette. Une par une, elles déplacèrent les maisons, puis les garages, les canalisations, les rues, les hommes, les meubles, les biens, les souvenirs, déposèrent plus loin sur un terrain vague tous les éléments de ce quartier en kit et en vrac, ne laissant aux démolisseurs que la carcasse d'une église trop complexe à démonter ainsi qu'une enfilade de vieux bâtiments administratifs, qui furent rasés. Place nette était donc faite aux explosions. Même pas, car de retard en retard, d'étude en contre-expertise, l'exploitation de ce site ne fut jamais effective.

Bien qu'il fût à la confluence des tirs des puits King, Bell, Beaver et Johnson, le quartier Mitchell, lui, resta là où il était et dut s'habituer à la poussière et aux bombardements. Ce voisinage guerrier ne se serait jamais arrêté si une moitié de toit ne s'était un jour écroulée sous l'impact d'une robuste météorite fibrée surgie du centre de la terre. Chacun prit alors pleinement conscience du danger qu'il pouvait y avoir à vivre dans la ligne de mire de pareils snipers aveugles équipés de gros calibres.

Des réunions furent organisées à la hâte, où l'on promit d'éloigner le plus possible des maisons les points d'exploitation et les curetages des sols. Autre mesure de sécurité symbolique, la mise en service d'une sirène d'alerte surpuissante un quart d'heure avant les dynamitages. Cette procédure tomba très vite en désuétude, mais j'eus le privilège d'assister à quelques mouvements d'affolement engendrés par le souffle de ces trompettes de la mort.

Ces quartiers, qui avaient vécu jusque-là dans l'indifférence et le mépris du risque, commencèrent à adopter inexplicablement des conduites de panique après que l'alarme fut installée et déclenchée. À chaque alerte, beaucoup rentraient chez eux en vitesse, fermaient portes et fenêtres, abritaient tout ce qui pouvait l'être, semblant bien plus terrorisés par les hurlements préventifs de la bête d'aujourd'hui que par les explosions proprement dites d'autrefois. Mon père faisait partie de ces résidents qui mettaient en vitesse de l'ordre dans leurs affaires quand résonnait l'avant-garde de la fin du monde.

Il arrivait parfois que, pour des commodités météorologiques ou d'exploitation, l'on dynamite les puits le dimanche matin. Mon père était allé se plaindre une couple de fois auprès des compagnies de ce désagrément qui entravait la bonne conduite de son office. On avait promis d'étudier la question. Les week-ends suivants, les tirs redoublèrent, et avec eux les terrifiants gémissements des sommations. Un dimanche où j'étais passé le voir à l'église, j'arrivais sous la barque au milieu de sa prédication tandis que Gérard LeBlond actionnait ses tirettes pour une combinaison « full organ ». Préciser que le pasteur traitait du doute et de la foi serait inutile puisque ces deux thèmes devaient représenter les neuf dixièmes de ses interventions. Ce jour-là, il était à son affaire, au cœur de son argumentaire, secouant l'auditeur pour mieux le cajoler, modulant ses effets, murmurant la louange, vitupérant la faute, et nageant dans ses mots comme on flotte dans l'eau. Je me souviens qu'à un point d'une histoire traitant de l'esprit de tolérance et de l'acceptation de l'autre, il marqua un temps, un long silence pendant lequel il sembla regarder individuellement chacun de ses fidèles. À Toulouse, je l'avais vu quelquefois utiliser cette astuce pour capter l'attention de son auditoire. Lorsqu'il estima toutes les conditions réunies, il délivra un message dont il n'imaginait sans doute pas alors qu'il aurait un tel retentissement : « C'est dans le silence des pierres et des forêts que nous parvient parfois le murmure des dieux. » Car à peine avait-il prononcé le dernier mot de sa phrase que la sirène se mit à rugir tel un blasphème. Il n'alla pas plus loin, et nul ne sut jamais ce que racontaient vraiment les divinités – un pluriel qui dut en surprendre plus d'un – lorsqu'elles se confiaient à l'oreille des locataires de la vie. Il replia ses notes en vitesse, demanda à chacun de se lever, d'aller en paix, mais d'y aller en vitesse, avant que le monde ne lui tombe sur la tête. Ne manquant pas d'humour ni d'à-propos, le maître d'orgue s'employa à mettre en musique la petite panique qui gagnait l'exode, et, de ses quatre mains, interpréta *My God, to Thee*, choral chrétien inspiré par la poétesse Sarah Flower et célèbre pour avoir été joué jusqu'à la dernière note pendant le naufrage du Royal Mail Ship *Titanic*. Ce dimanche-là, 15 minutes pétantes après l'alerte, l'explosion se produisit et outre quelques pierres et gravillons mineurs qui n'éraflèrent même pas la solide carapace de la barque, une fine neige de flocons d'amiante descendit lentement sur nous tous.

Regarder un match de hockey en prison est un sport à part entière qui demande une certaine préparation, pour peu qu'on le pratique aux côtés de Patrick Horton.

Quand les Canadiens de Montréal marquent, il se jette sur ses voisins qu'il brasse à pleines mains. Quand les Canadiens encaissent, il frappe sur ces mêmes voisins comme s'ils étaient incassables. Ce soir nous avons justement regardé les Canadiens contre les Maple Leafs de Toronto, deux équipes rivales dont les rencontres s'achèvent rarement sans subtils coups de crosse et retentissantes mises en échec. Ce soir, bien qu'ils aient contribué à la victoire de leur équipe, deux joueurs des Leafs, Phaneuf et Armstrong, m'ont paru particulièrement virulents. « Virulents ? Virulents ? Non mais je rêve. Je me demande pourquoi je parle de hockey avec toi, t'y connais rien. Alors, fais pas chier. Phaneuf c'est le plus grand fils de pute que tu peux croiser sur une patinoire. Phaneuf c'est un découpeur. Avec lui faut pas jouer à la crosse mais avec une batte de base-ball ou un hachoir. Ce soir c'est lui qui a allumé toutes les mèches. Pareil pour Armstrong. Lui, c'est la deuxième lame. Si Phaneuf te rate, Armstrong, lui il t'empale. Ces mecs-là faut les envoyer sur la banquise jouer avec des ours, pas sur une patinoire, pas en NHL. »

Pour décompresser après le match, on a aussi regardé un documentaire sur les sports celtiques et le lancer de mélèze. Des types qui projettent le plus loin possible des troncs de 5 à 7 mètres pesant entre 100 et 110 kilos. « Au lieu de faire chier les arbres ils feraient mieux de balancer Phaneuf et Armstrong. »

Je me souviens d'avoir regardé pas mal de rencontres de hockey en 1969, en compagnie de mon père, pendant la coupe du monde qui se déroulait en Suède et qui était retransmise à la télévision. À Toulouse, ce sport n'était bien sûr pas très populaire, mais les origines scandinaves de Johanes, qui ne ratait aucun match, m'avaient permis de me familiariser avec les principales règles de ce jeu. Il y avait eu une rencontre extraordinaire opposant l'URSS à la Tchécoslovaquie, et cela moins d'un an après l'invasion des chars russes à Prague. Après un match hallucinant, une vraie guerre des glaces, les Tchèques l'emportèrent par 4 buts à 3, mais grâce à un meilleur *goal average* général, ce furent les Russes qui devinrent champions du monde. Contrairement à ce qu'exigeait la règle, les joueurs refusèrent de se serrer la main à la fin de la rencontre. Au moment de la remise des médailles lorsqu'on joua *L'Internationale*, la télévision tchèque coupa le son. Et quand les Soviétiques montèrent sur le podium, c'est l'image elle-même qui disparut.

Tout à l'heure, j'ai essayé de raconter à mon colocataire cette histoire marquante. « Pourquoi tu me parles de ça ? Je m'en tape de tes Ruskofs de 69. Je connais tout ça. Et puis quel rapport avec Phaneuf et Armstrong ? Il est d'où, ton père, déjà ? Du Danemark ? Putain ça peut pas mieux tomber. Tu sais contre qui ils ont joué leur premier match officiel, les Danois, en 1949 ? Les Canadiens, mon pote. Et t'as une idée du score ? 49 grains à 0. Alors viens pas faire le mariole avec tes chars russes et tout ça. En histoire et en politique, ok, je sais, je suis une bille. Par contre, en hockey je connais tous les scores du Canada, tous les palmarès, tous les joueurs. Vas-y, vas-y, pose-moi une question. Combien de fois champion du monde ? Aujourd'hui, vingt-quatre fois. Jeux Olympiques ? Sept fois. La plus large victoire ? Je te l'ai dit, contre les rigolos de ton vieux. La plus grosse défaite ? En 1977, contre les putains de Soviets 11-1. Meilleur buteur de tous les temps ? Wayne Gretzky. Ça y est ? Ça te suffit ? T'as vu ? Allez va ranger ta chambre. » Il fit alors ce geste un peu ridicule en usage dans la sphère sportive, ce geste qui donne à croire que la main droite tire une invisible poignée de signal d'alarme, tandis que son auteur esquisse une grimace en se mordant la lèvre inférieure. « Le hockey, pour le comprendre vraiment Polo, faut être né dedans, t'être gelé les roues à cinq ans sur la patinoire de ton coin, ne plus sentir tes doigts quand tu rentres chez toi, en manger une quand tu laisses ta crosse dans l'entrée, et quand tu joues, savoir en prendre et aussi en donner, et surtout vouloir briser la glace chaque fois que t'appuies sur tes patins. Es-tu déjà monté sur des patins ? » Je n'ai pas osé lui dire la vérité, et comme il me l'avait demandé, j'ai continué à ranger ma chambre.

Qui aurait pu imaginer, à Thetford Mines, que les choses évolueraient de cette façon, que le pasteur Hansen connaîtrait une dérive aussi imprévisible que brutale, au point d'être convoqué d'urgence en janvier 1982 par ses employeurs, le Quebec and Sherbrooke Presbitary of Montreal and Ottawa Conference of the United Church of Canada ? Pour l'épauler dans l'épreuve qu'il allait traverser et dont je me sentais en partie responsable, j'avais conduit mon père à cet entretien et garé la voiture non loin de l'immeuble où une sorte de tribunal ecclésiastique allait avoir à apprendre ses œuvres et décider de son sort. Pendant l'heure que dura l'audience, je restai assis derrière le volant à écouter la radio, me demandant comment tout cela avait pu arriver, comment Johanes avait, en une année, accumulé autant de dettes et ruiné à ce point l'avenir de sa charge.

Quand je vis mon père revenir vers la voiture, il marchait au plus près de l'immeuble longeant le trottoir comme s'il voulait s'abriter de quelque chose. La porte de la voiture claqua, il passa ses mains sur son visage, lissa ses paupières. « Je suis content que tu sois venu avec moi, que tu m'aies accompagné. » Comme il le faisait parfois durant ses prédications, il marqua un long silence. Mais cette fois, ce n'était pas une ruse de tribune ni une coquetterie oratoire, simplement ses poumons qui manquaient d'air, son cœur de force, et son esprit de suite dans les idées. Il tourna son visage vers moi. « Ils m'ont donné six mois pour rembourser ce que je dois, remettre en ordre tous les comptes de l'église et rendre les clés. Passé ce délai, ils porteront plainte. » Il souleva ses paumes vers le ciel. « Ils ne pouvaient rien faire d'autre. »

Tout avait débuté un an auparavant, je crois, au début de l'hiver 1981. Après les premières chutes de neige, le froid commença à faire craquer les routes et les jours raccourcirent brusquement, comme s'ils étaient pressés d'en finir. Durant ces changements de saison, quelque chose se modifiait en nous, une lassitude diffuse s'installait et, avec elle, une part de mélancolie. J'étais très sensible à ces modifications. Pour rompre avec ces rythmes déprimants, j'avais proposé à mon père de filer à Québec passer une soirée au Palais Central, l'hippodrome qui proposait une série de courses de trot attelé. Vues de l'extérieur, avec leurs deux clochetons, leur arcade centrale et leur architecture symétrique, les grandes tribunes principales me faisaient bizarrement penser à la façade d'une arène tauromachique du nord de l'Espagne. À l'intérieur, tout était plus conventionnel, un anneau de 70 pieds de large bâti sur un fond de sable, nappé d'argile et recouvert de cendrée, une piste ouverte pratiquement toute l'année depuis que, pour fidéliser les parieurs, les propriétaires du Palais Central avaient fait installer le chauffage dans les tribunes. Ce soir-là, il y avait sept courses au programme.

Il ne m'avait pas fallu déployer beaucoup d'énergie pour convaincre mon père de m'accompagner à cette réunion. Celui qui, peu de temps auparavant, s'interdisait de servir deux maîtres, prit en douce congé de l'un pour aller, l'espace d'une virée, fricoter avec l'autre. À chacune des courses, en fonction de la couleur de la toque ou de la casaque d'un jockey, de l'élégance d'un sulky, de la robe d'un animal dont il ignorait tout, Johanes choisissait un attelage, descendait, comme si sa vie en dépendait, au bureau des paris, sortait ses dollars et misait sur l'inconnu d'une crinière, l'aléatoire d'une foulée, avec un allant et une foi qui ne laissaient pas imaginer un seul instant que cet homme traversait une crise de confiance en lui et en son Sauveur. Ensuite, quatre à quatre, il montait reprendre sa place en tribunes. Il faut croire que cette nuit-là, les cieux fermèrent les yeux sur ses infidélités puisque, sur la totalité des courses, le bilan de mon père fut époustouflant. Quatre chevaux gagnants, deux placés, et un qui fut mis hors course pour une allure irrégulière.

C'est un homme riche et transfiguré de bonheur d'avoir joué un bon tour à la chance qui, pour une fois, avait bien été obligé de lui sourire, que je ramenais à Thetford Mines dans ma petite Honda. Quatre cents ou cinq cents dollars de gain, les frissons de la course, l'odeur des bières et des cigares, les cris dans les tribunes, le froid du dehors, le feu du dedans, l'incertitude jusqu'au dernier moment, les déséquilibres du hasard, il n'en fallait pas davantage pour que le pasteur prenne conscience que l'anneau de course du Palais Central ouvrait sur un champ des possibles que rien dans la Bible ne laissait entrevoir.

La semaine suivante, même jour, même heure, même endroit, mêmes courses. Cette fois, c'est Johanes qui avait insisté pour que nous fassions le voyage. Durant le trajet, il me dit avoir beaucoup aimé son expérience initiale, qu'il avait trouvée très « excitante ». C'était un qualificatif bien peu usuel dans la bouche de mon père. Je remarquai aussi le gros étui de cuir qui pendait à une lanière passée autour de son cou. « Des jumelles. Pour mieux suivre la course. J'ai vu que tous les spectateurs ou presque en avaient une paire. » Dernière surprise, sur le parvis de l'hippodrome, mon père sortit une casquette à carreaux de sa poche et l'ajusta précautionneusement sur son crâne comme si cet accessoire couronnait le commencement d'une nouvelle vie.

Dans sa nouvelle livrée qui ne lui allait pas si mal que ça, Johanes renouvela son bail avec les dieux du trot qui le servirent une nouvelle fois au-delà de ses espérances. Dès la dernière course, les yeux cloués dans ses jumelles, il commença à élever le ton quand son favori se rapprocha de la tête. Et quand il la prit, le pasteur pécha pour la première fois : « Vas-y, putain, vas-y. » Dans la voiture, au retour, il m'avoua que, pour peu que l'on y songe, parieur était un métier merveilleux. S'asseoir, miser, gagner, rentrer. Il ne semblait pas imaginer que cette activité puisse comporter des risques – perdre, par exemple. Cette éventualité, l'hypothèse d'être lâché par son « mojo », il ne l'envisageait même pas. Je compris ce soir-là que le diable avait glissé un pied dans la porte. Mais je n'imaginais pas encore que Johanes lui-même allait la lui ouvrir toute grande.

Mon père finit la saison d'hiver au Palais Central, seul hippodrome du Québec à pouvoir fonctionner par grand froid. À ma connaissance, il ne manqua pas une réunion et demeura bénéficiaire sur l'ensemble de l'exercice, même si quelques revers bien sentis modérèrent l'exaltation de ses livres de comptes. C'est à tort que j'emploie ce terme, car je sais que mon père, durant cette période, n'a justement jamais tenu aucun compte. Car il appartenait à cette redoutable catégorie de joueurs qui ne mémorisent que les gains de leurs campagnes, oubliant leurs défaites sitôt après les avoir essuyées. Tant qu'il y avait de l'argent dans ses poches, ce système pouvait plus ou moins fonctionner.

Au printemps, mon père délaissa Québec pour se tourner vers le champ de courses de Trois-Rivières, un grand hippodrome de classe professionnelle construit en 1830 et sur lequel, au tout début, on faisait courir des hommes contre des chevaux. Puis on organisa des réunions de trot, de trot attelé, de galop, réunissant les meilleurs pur-sang du Canada et des États-Unis. Les sociétés organisatrices s'appelaient le Three Rivers Turf Club, pour flatter les Anglais, ou le Saint-Maurice Turf Club, pour consoler les Français. Depuis sa création, et jusqu'à des jours récents, ce champ de courses eut à connaître des destins funestes, notamment trois violents incendies qui détruisirent les écuries et dont les deux derniers provoquèrent la mort de 174 chevaux de course enfermés dans leurs box. Mon père, s'étant documenté sur son nouveau lieu de perdition, semblait même s'enorgueillir de ce que le roi d'Angleterre Guillaume IV fût venu jusqu'ici en 1836 offrir une bourse de cinquante guinées au vainqueur d'une course de galop. Peut-être était-ce la perspective de pareilles gratifications qui donnait au pasteur une foi nouvelle en ces chevaux de selle gorgés jusqu'à la moelle de Tramadon, de Codéïne, de Ketoprofène, de Clenbutérol et de Stanozolol. Johanes balayait ces ordonnances d'un geste large, affirmant que de telles pratiques étaient aujourd'hui peu probables tant les contrôles et les analyses étaient rigoureux. En quelques mois, mon père était devenu la caricature du turfiste, avec ses jumelles en bavoir, sa casquette à six pans, ses informations de première main sans doute glanées au presbytère, et cette confiance aveugle en une louche institution mise depuis longtemps à l'index par tous les Presbitary Conference United de la terre.

Comme à Québec, Johanes Hansen commença par dépouiller la banque, enchaînant gagnant ou placé tout au début du printemps. En un temps record, il avait assimilé les patronymes de tous les drivers, les réputations des propriétaires, les noms des chevaux et les prénoms des guichetières. À force de le voir aller et venir entre les paddocks, le rond de présentation et les tableaux des cotes, certaines lui donnaient même du « monsieur Johanes » en lui tendant ses tickets. Mais au début de l'été, la bonne étoile de monsieur Johanes connut une longue éclipse. Trotteurs, galopeurs ou attelés se tournèrent vers un nouveau venu, un type ordinaire qui n'y connaissait rien, qui n'avait pas encore acheté de casquette ni de paire de jumelles, assis quelque part dans les tribunes avec son plus jeune fils qui l'avait juste invité à profiter du beau temps et à aller passer une après-midi aux courses.

Les poches du pasteur commencèrent à se vider. À la manière d'une pompe qui s'amorce, mécaniquement, le débit de ses pertes s'accéléra. Quelques gains, un placé par-ci, un gagnant de trois fois rien par-là, ne purent endiguer l'hémorragie.

À l'église, tout à ses problèmes de dernière ligne droite, le pasteur bâclait ses textes, négligeait ses offices, arrivait en retard à ses célébrations, oubliait des rendez-vous et se préoccupait de moins en moins de la musique de Gérard, qui voyait bien que quelque chose n'allait plus. Il s'en ouvrit à moi. Je dus lui avouer la vérité. Mon père, en un éclair, était devenu un dingo des chevaux, un joueur compulsif pour qui l'argent, dépourvu de toute valeur, n'était plus que le vecteur permettant d'accéder à ce flash d'adrénaline uniquement accessible durant « ces quelques secondes dans la perfection de la dernière ligne droite ».

La foi était passée à la trappe. Une autre l'avait remplacée. Mon père avait besoin de croire.

Je me souviens qu'après avoir expliqué tout cela à Gérard, il me regarda et me dit cette chose étrange : « Je préfère ça, j'avais peur que ce ne soit une femme. »

La femme n'était pas encore là, mais, bien que nul ne pût le deviner à ce point de l'histoire, elle était déjà en train de cheminer dans les tuyauteries du destin.

Mon père était très aimé de ses paroissiennes. Il les traitait avec empathie et beaucoup de respect, les encourageait dans leurs aptitudes ou leurs études, sans jamais les contraindre dans un quelconque corset de morale. Il était, en fait, à l'exact opposé de l'attitude du clergé catholique de ce pays. Jusqu'au début des années 50, leur doctrine était simple : procréez à tour de bras, croissez et multipliez pour faire barrage à l'Anglais, le contenir, renforcer les armées de Rome et affaiblir les légions de ces diables de protestants anti-papistes. Tels des voyageurs de commerce, les prêtres d'alors passaient dans les familles pour bénir les foyers et surtout visiter les mères, les inciter à forcer les cycles de la vie, à oublier l'épuisement de leurs corps, à forniquer dans la sainteté, sans trêve ni repos, nuit et jour s'il le fallait, à condition qu'à la fin il en sorte quelque chose. Des portées de douze enfants étaient courantes. Des femmes sortaient en larmes des confessionnaux après s'être fait sermonner et traiter de mauvaises chrétiennes pour n'avoir donné la vie qu'à sept enfants en treize années de mariage. Dès le retour à la maison, en guise d'expiation, elles devaient contraindre le mari à se remettre à l'ouvrage, et en vitesse. Car le Seigneur attendait et l'Église avait ses impatiences. Le bon usage voulait aussi que l'on réservât un garçon de la lignée, pour assurer la relève, rester dans le rang et entrer dans les ordres. Le tribut du clergé, la part de Dieu.

Pour toutes ces maltraitances que la mémoire collective des femmes gardait encore à l'esprit, pour tous ces enfants conçus à grands coups de crucifix, ces corps saccagés avant l'âge, un pasteur comme Johanes Hansen, bienveillant, tolérant, et vivant de surcroît, depuis quelque temps, avec une cavalcade de petits chevaux tournant dans sa tête, ne pouvait évidemment qu'être aimé.

À la fin de l'été, la chute fut vertigineuse et les pertes à Trois-Rivières enflèrent de semaine en semaine. Le pasteur était entré dans le vortex du vaincu, ce trou noir qui avale inexorablement celui qui a trop perdu pour renoncer, d'autant qu'il est, au fond de son cœur, convaincu que la chance et les chevaux finiront par tourner à nouveau dans le bon sens. L'élixir, le cocktail de la catastrophe.

Début septembre, mon père s'ouvrit à moi de ses difficultés et m'expliqua qu'il allait contracter un emprunt aux Caisses Desjardins pour rembourser les sommes qu'il avait déjà prélevées sur le budget de fonctionnement de l'église et du presbytère. Ce qu'il omit de me dire, c'est que le prêt accordé par les Caisses était bien supérieur au montant de sa dette. Et cette substantielle différence, il comptait bien l'employer pour se refaire, rembourser l'Église, la banque, absoudre son péché et redémarrer une carrière de pasteur danois sans jumelles, sans casquette, sans cotes ni Tramadol.

D'une certaine façon, on peut dire que mon père tint la moitié de ses engagements. Dès l'instant où il reçut son chèque, il ne remit plus jamais les pieds dans un champ de courses et restitua à l'Église l'entièreté de ce qu'il avait détourné, au centime près. En l'espace d'une journée, Johanes Hansen avait donc purgé sa dette, sa faute, et n'était plus qu'un débiteur parmi tant d'autres dans l'une des 422 agences d'une solide institution bancaire fondée en 1900 par Alphonse Desjardins et dégageant en moyenne plus d'un milliard de dollars de bénéfice par an.

Peut-être la griserie de ces chiffres donna-t-elle alors à Johanes le sentiment qu'il était temps pour lui de rebasculer dans le monde des gagnants, de solder les passifs, de tordre le cou aux intérêts. Pour cela, il suffisait de plonger la main dans sa poche, désormais matelassée par le surplus de son emprunt.

Un soir, il mit son costume gris, ferma derrière lui la porte du presbytère, monta dans son Bronco, et, sous une pluie de feuilles d'automne, roula longtemps, jusqu'à voir scintiller dans la nuit les lumières des immeubles de Montréal dégageant déjà, comme en plein hiver, les blanches fumées de leurs respirations. Non, Johanes Hansen, comme il l'avait juré à son Créateur, ne se rendait pas aux courses, il traversait le pont Champlain, empruntait l'autoroute Bonaventure, tournait à droite vers l'île Notre-Dame où l'attendait un modeste bâtiment industriel dont les quelques éclats lumineux rebondissaient sur le fleuve, et qui semblait l'attendre personnellement, lui, le petit pasteur de Thetford Mines à l'église d'amiante. Cet ancien entrepôt réaménagé en tripot se trouvait à quelques centaines de mètres de ce qui deviendrait, une dizaine d'années plus tard, l'immense casino de Montréal, glissé dans la coquille vide des anciens pavillons du Québec et de la France conçus pour l'Exposition universelle de 1967.

Au cercle de jeu « Moneymaker », il faut dire que l'on était loin de ce lustre et de cette opulence. C'est un parieur de Trois-Rivières qui avait pourtant conseillé ce repaire à mon père. Il disait y avoir gagné, au craps, en une soirée, de quoi s'acheter une Mercury Marquis.

Une quinzaine de tables alternant roulette, black jack, craps, un corridor de machines à sous et dans une salle dédiée, des joueurs de poker. Cent cinquante ou deux cents personnes en tout, du mobilier disparate, des croupiers d'occasion, du matériel de seconde main, des lumières trop fortes, de la fumée âcre : tout était là, le décor disposé à merveille, les figurants en place, il ne manquait que le pasteur de Thetford Mines, le Danois à la petite foi, qui, pour l'occasion, avait enfilé son costume sombre, celui qu'il ne portait généralement que pour enterrer les morts.

Le chemin de croix se déroula en deux étapes, deux stations inexorables, prévisibles, décrites dans tous les livres de survie. Cela commença par une douceur de la chance, une flatterie commerciale, un gain de trois fois rien à la roulette, juste une poignée de main qui apporte un peu de confiance. Puis une seconde et modeste victoire, concédée presque par inadvertance, mais qui aide à se sentir de mieux en mieux dans son costume d'enterrement. Pour cette soirée de rachat, étrangement confiant, mon père avait emporté la totalité de l'excédent de ce qu'il avait emprunté. Une somme importante. En moins de deux heures épouvantables la mécanique de précision de l'échec grignota méticuleusement jusqu'au dernier sou cette épargne illusoire. Les dés massacrèrent mon père. Lancer après lancer, les cubes s'arrêtèrent sur la mauvaise face, l'amusement tourna au jeu de massacre, et ses dollars disparurent dans un déversoir insatiable. À la fin, au lieu de repartir avec une Mercury Marquis, il dut se résoudre à quitter la scène au volant de son vieux Bronco, l'esprit égaré, dépouillé, laminé, le regard perdu, tout juste capable de s'aligner sur la route du chemin de retour.

En toute logique, la raison eût voulu que ce voyage reste sans suite, que mon père demeurât dans sa maison au pied de l'église, à ruminer ses erreurs pastorales et s'attachât à l'avenir à cajoler ses Anglais, lustrer son B3, épousseter son amiante, rembourser Desjardins, et surtout, à ne plus jamais fréquenter ni les cercles de jeu ni les ovales de course.

Le lendemain de sa déconfiture, après une longue route de nuit parsemée de pensées fulgurantes et contradictoires, il gara son Ford à la verticale de l'enseigne bleutée et hautement fallacieuse de « Moneymaker ». Durant ses insomnies, ces désertions de mélatonine, il avait envisagé tout et son contraire. Le petit matin lui avait suggéré la solution de la dernière chance, sans doute risquée, mais dont il prétendait avoir analysé les probabilités, et qui lui offrait le meilleur rapport capital/risque. Bien sûr, tout cela ne reposait absolument sur rien sinon sur un de ces longs exercices d'autopersuasion sans lesquels les casinos auraient depuis longtemps disparu. Superstitieux comme tous les parieurs, il avait laissé ses habits de funérailles au presbytère pour se présenter dans une tenue moins conservatrice, qu'il portait souvent avec bonheur sur les champs de courses.

Pour alimenter les feux de cette soirée, il avait pillé tous les troncs de son église. Je veux dire par là que, pour la seconde fois, il avait détourné l'entier du budget de fonctionnement de sa paroisse, subtilisé, gratté tout ce qui pouvait l'être.

Reclus dans ses fantasmes stratégiques, mon père devait suivre un protocole qui aurait fait fuir n'importe quel joueur possédant une parcelle de raison : fractionner la totalité de son argent en quatre parts égales misées sur quatre parties différentes, en choisissant à chaque fois le rouge ou le noir à l'exclusion de tout autre combinaison.

Soit Johanes doublait son enjeu, soit il perdait tout. Il avait choisi de confier son avenir au quitte ou double, même si, dans sa situation, espérer doubler quoi que ce fût appartenait au domaine des songes.

À 23 h 10, il déposa son quart initial sur le rouge, et le noir se chargea d'assombrir ses perspectives pour commencer. Il fit quelques pas dans la salle. Dix minutes plus tard, il confirma son premier choix de coloris. La bille tournoya sur son cercle et, comme un oiseau de proie, fondit sur le 29, peut-être le plus noir de tous les noirs. « Bizarrement je n'ai pas eu peur, je n'ai pas non plus vraiment douté. J'étais profondément convaincu que toute cette merde allait s'arrêter, qu'il ne pouvait pas en être autrement, que toute cette malchance finirait bien par s'en prendre à la vie de quelqu'un d'autre et me laisserait tranquille, que j'allais m'en sortir, juste au dernier moment, comme ça m'était déjà arrivé à Trois-Rivières, dans la dernière ligne droite de la dernière course. »

Comme à chaque coup, le croupier parut vraiment étonné par l'importance de la mise et cette obstination à refuser de la ventiler sur des combinaisons multiples, pour la concentrer sur une simple espérance binaire.

À 23 h 30, c'est le rouge qui fut choisi et le noir qui sortit.

Mon père entrait maintenant dans sa dernière ligne droite. Il était persuadé d'avoir les ressources nécessaires pour remonter le peloton et coiffer tout le monde sur la ligne, à l'instar de « Walter Season » durant la dernière course de l'été. Gorgé de toutes les substances licites ou illicites, le cheval avait refait son retard, encolure après encolure, poitrail après poitrail, laissant des pincées d'écume blanche s'envoler de sa bouche dans le feu de l'effort. Et il tirait sa carriole comme il l'avait toujours fait, sans se préoccuper du type en casaque à pois qui, à l'arrière, dinguait sur ce sulky qui semblait décoller à chaque foulée. Le driver criait et le fouettait, ignorant l'inutilité de ses gestes, car le cheval savait parfaitement ce qu'il avait à faire : les reprendre tous, les uns après les autres, et présenter sa tête bien droite, levée, victorieuse, pour la photo *finish*.

Tout ce que mon père avait appris de « Walter Season » ne put le sauver cette nuit-là. Aux alentours de 23 h 45, tout était fini. Rien de ce en quoi il avait cru ne s'était produit. Pas de renversement de tendance, pas de retour miraculeux. Sur la photo *finish*, on ne vit qu'un pasteur choisir timidement le rouge et la main de Dieu glisser, clairement, la bille sur le noir.

À la seconde où le rouleau s'arrêta de tourner, mon père devint un petit voleur danois, un résident permanent encombrant bientôt convoqué et radié par son diocèse, prochainement poursuivi par sa banque, et inévitablement confronté à une procédure judiciaire.

« Je me souviens d'une chose étrange. Quand j'ai quitté la table de jeu, une très jolie femme est venue me voir et m'a pris par le bras. Nous avons fait quelques pas dans la salle. Sous le choc des événements, j'avais l'impression de flotter dans un monde que je ne connaissais pas. Cette femme m'a parlé et m'a demandé mon nom et ce que je faisais dans la vie. J'ai répondu que je m'appelais Johanes Hansen et que j'étais pasteur à Thetford Mines. Elle a alors pris mon visage dans ses mains, m'a regardé comme si j'étais un orphelin et m'a longuement embrassé sur la bouche. Je suis resté immobile, les bras ballants, les yeux grands ouverts, jusqu'à ce qu'elle s'éloigne un peu de moi et me dise : "Que Dieu, s'il vous voit, vous bénisse." Ensuite, je t'assure, je ne me rappelle plus rien, ni être sorti du « Moneymaker », ni avoir pris la voiture pour rentrer à la maison. »

Durant les jours qui suivirent, plus que le cortège de drames qu'allaient engendrer ses pertes sur l'île Notre-Dame, mon père ne sembla retenir de cette soirée que l'apparition de cette femme mystérieuse qui hanterait par la suite l'interminable nuit qu'il allait traverser.

Les six mois que lui avaient donné ses pairs pour apurer sa dette seraient un sursis beaucoup trop court, d'autant qu'il était exclu que les Caisses Desjardins lui prêtent un dollar supplémentaire. Et comme il refusait absolument d'envisager de demander une aide aux Hansen de Skagen, mon père en conclut qu'il ne lui restait plus qu'à demeurer assis sous sa barque et attendre d'être submergé par le flot.

Pendant plusieurs semaines, je retournai la terre et la moitié du ciel pour trouver une issue acceptable à cette situation. Je fis le compte de mes économies et envisageai de contracter un emprunt en vue de remettre Johanes à flot. Mais les voies d'eau étaient trop importantes pour que mes maigres pinoches parviennent à colmater les brèches.

J'ai promis à mon père de ne jamais révéler l'étendue et le montant de ses pertes. Tout ce que je peux dire, c'est qu'elles dépassaient largement le train de vie d'un pasteur.

Deux mois après sa déroute, mon père revint à deux ou trois reprises au « Moneymaker » sans avoir l'idée d'y miser quoi que ce soit, espérant simplement retrouver la femme qui, avant de disparaître, l'avait remis entre les mains de Dieu. Mais dans l'entrepôt, il ne croisa que des hommes comme lui, venus chercher quelque chose qu'ils ne trouveraient jamais.

Les dimanches, Johanes continua à célébrer son office comme si de rien n'était, Gérard, à l'orgue Hammond, les Anglais sur les bancs de bois blond. Depuis qu'il se savait condamné, mon père écrivait des textes comme personne n'en avait jamais entendu ici. Des écrits qui débordaient même les limites de l'Église, qui embrassaient les aléas de notre destinée, nous situant à notre juste place dans le bordel bourdonnant de la vie, à l'égal du mélèze ou du tapir, locataires d'une même cellule, inquiets de l'avenir, s'efforçant tous de croire en la bienveillance des dieux même si notre instinct nous murmurait le contraire.

Pour la première fois depuis mon enfance, j'étais revenu régulièrement à l'église pour l'écouter et, je dois le reconnaître, pour observer le scepticisme embarrassé et grandissant de la colonie britannique conservatrice confrontée à cette parole libérée.

Depuis son entrevue de Montréal et son imminente mise à pied, le pasteur se sentait libre, dégagé de tous ses contrats tant avec l'Église qu'avec Dieu, lequel l'avait, en un sens, laissé tomber au pire moment : la dernière ligne droite. Il se laissait aller, se livrait sans retenue ni crainte, jacassant à sa guise sur les arbres, les hommes, les bêtes, racontant la vie des pêcheurs du Jutland, les courants contraires tentant de les démembrer, et les poissons partout, eux dont les cadavres recouvriront un jour le clocher de l'église ensablée. On avait le sentiment que cet homme se jetait du haut d'un immeuble et que devant nous, là, debout, il livrait les visions de sa chute. Le plus étonnant était bien que, la plupart du temps, ces épopées embarquaient ses fidèles dans son monde. Tous semblaient subjugués, à l'exception, c'est bien possible, de ces putains d'Anglais.

Sa prédication du 14 mars 1982 fut aussi magique et vaporeuse que les précédentes. Sans doute alerté par la fraction britannique du club sur l'hérésiarque de Thetford Mines, par ailleurs en instance d'exclusion, un représentant du presbytère de Montréal était venu se rendre compte par lui-même de l'étendue de la dérive. Il repartit bouleversé par ce qu'il avait entendu, d'abord, et par ce à quoi il avait assisté ensuite.

Ce dimanche-là, la prédication portait sur les charges et les tracas que les familles se transmettent de génération en génération, ces histoires dont nous ignorons beaucoup mais dont nous devons quand même accuser réception, que nous devons transporter puis grossir de nos propres peines avant de les fourguer au suivant de la lignée. Et tout cela tintinnabulait dans la confusion et le chaos des fièvres paternelles, dont on sentait qu'elles étaient en train d'apurer tous, mais vraiment tous les comptes.

« Enfin, je voudrais vous dire ceci. C'est sans doute l'une des dernières fois que je m'adresse à vous. Je suis venu à Thetford Mines parce que, ailleurs, on ne voulait plus de moi. Et je vais repartir de cette ville pour les mêmes raisons. Par deux fois j'ai fauté. Par deux fois j'ai été chassé. Vous apprendrez sur moi, sans doute, des choses assez déplaisantes. Toutes seront vraies. Et une fois encore je n'aurai rien à dire pour me défendre. Mais sachez que pendant toutes ces années passées ici, je me suis comporté comme un employé dévoué et loyal. Même si ces termes peuvent sembler étranges aujourd'hui. Même si depuis longtemps la foi m'a quitté. Même si prier, pour moi, est devenu chose impossible. Vous aurez bientôt tout le temps et le loisir de me juger et de me condamner. Je vous demande alors de conserver à l'esprit cette phrase toute simple que je tiens de mon père et qu'il utilisait pour minorer les fautes de chacun : "Tous les hommes n'habitent pas le monde de la même façon." Que Dieu, s'il vous voit, vous bénisse. »

Les genoux du pasteur fléchirent d'une façon imperceptible et ses mains s'agrippèrent au pupitre. Gérard, fidèle partenaire, entama un prélude choisi par mon père et lui, et la cabine Leslie déploya ses brassées de sons sur tous les hommes de bonne volonté.

Johanes regarda vers la salle comme pour chercher un ami au milieu d'une foule inconnue. Il ouvrit la bouche, à croire qu'il avait oublié de nous dire quelque chose, qu'une poignée de mots voulait encore jaillir, puis ses mains glissèrent sur la paroi du monde, ses jambes l'abandonnèrent et il s'effondra.

L'église eut une inspiration de surprise. Gérard LeBlond, abandonnant ses notes, se précipita vers lui. Et l'orgue cessa de jouer.

Montréal, QC

Le pasteur de Thetford Mines quitta la ville par la route, en fourgon mortuaire. Il fut conduit à l'aéroport de Dorval, glissé dans un cercueil scellé et embarqué à bord d'un vol Swissair à destination de Copenhague via Genève. Au Danemark, un autre véhicule approprié l'emmena jusqu'à Skagen où, en présence des siens, équipé de ses jumelles et de la casquette à six pans dont je l'avais coiffé, il disparut dans la terre, enfoui sous les sables de son cimetière battu par les cavalcades des vents.

Ma mère, que j'avais prévenue, avait fait le voyage. Fausse veuve élégante, elle fut accueillie par la famille comme au temps des meilleurs jours. Lorsque le cercueil de Johanes disparut dans la terre au son des vieilles cloches de l'église, elle sortit un petit mouchoir de papier et essuya le coin d'un œil résolument sec. Elle me prit par l'épaule et s'adressa à moi avec cette distance qu'elle avait introduite entre nous depuis longtemps. C'était comme évoquer avec une tante éloignée la disparition d'un vieil ami commun. Il n'y avait plus de papa, plus de maman, plus d'enfant, seulement deux adultes qui marchaient parmi les tombes en se remémorant la mort d'un troisième autrefois familier, de la même façon que l'on parlerait d'un inévitable dégât collatéral de la vie qui passe.

Ni ma mère ni la famille Hansen n'ont jamais su à quoi ressemblèrent les deux dernières années de la vie de Johanes. Il n'y avait aucune raison pour qu'elles l'apprennent. L'une repartit à Genève, les autres retournèrent à leurs poissons et moi vers ce que j'espérais être une deuxième nouvelle vie.

À la demande du presbytère de Montréal, aucun office, aucune cérémonie ne fut organisé en la mémoire du pasteur Hansen. Les comptes bancaires et ecclésiaux tirèrent un trait définitif sur le passif pastoral, et les Anglais changèrent de paroisse en attendant la nomination d'un autre ministre du culte. Quant à Gérard, par amour de l'instrument mais aussi en souvenir de mon père, il racheta au diocèse, lequel ne se fit pas prier, le B3 Hammond, son pédalier et son indissociable cabine Leslie qui, peut-être, encore aujourd'hui, du côté de Sherbrooke, disperse et ventile des volées d'accords de septième ou de neuvième. Pendant quelques années, Gérard LeBlond et moi – j'habitais désormais Montréal – sommes restés en contact téléphonique, nous racontant les tâtonnements de nos vies respectives. Il m'annonça ainsi que le nouveau pasteur engagé pour remplacer Johanes n'attirait qu'une poignée de fidèles d'un autre âge. Fidèles qui, de toute façon, selon son expression, « se seraient déplacés même si l'on avait mis un ragondin derrière le pupitre ». Quelques années plus tard Gérard me téléphona aux alentours de 23 heures, tant il brûlait de me révéler ce qu'il venait d'apprendre. L'église de Thetford Mines avait été fermée un an plus tôt en raison de la défection des Anglais, puis mise en vente, suivant en cela le destin du cinéma de ma mère, par une agence immobilière, et rapidement rachetée, avec son presbytère, pour être transformée en maison d'habitation. « Si ton père voyait ça, crois-moi, il ne regretterait pas toutes ses après-midis passées aux courses. Un de ces jours, j'irai faire un tour là-bas, je te raconterai à quoi ça ressemble. » Je n'ai plus eu de nouvelles de Gérard, je crois en deviner la raison, et je ne suis jamais retourné à Thetford Mines. J'espère simplement que les nouveaux locataires ont conservé la voûte et les membrures de leur nouvelle barque, qui longtemps résonnèrent de la voix de papa.

Après la disparition du pasteur, je quittai mon emploi chez DuLaurier. Il organisa une petite fête pour mon départ. À cette occasion, Pierre, à croire qu'il lisait dans l'avenir, tint à m'offrir une caisse à outils garnie de toutes les gourmandises du travailleur ainsi qu'une gamme d'équipements électriques pour scier, poncer, disquer, percer, percuter. « Je ne sais pas ce que tu vas devenir, mais avec ça et ce que tu as appris avec nous, tu as de quoi gagner ta vie et te sortir des ennuis. Bonne chance, fils. » Il y avait longtemps qu'on ne m'avait pas appelé fils. J'entassai tout ce matériel et mes quelques affaires dans ma petite Honda Civic de 3,54 mètres légère comme une plume, et je pris la route de la ville, droit devant, direction Montréal, QC.

En prison, nous ne nous faisons que rarement des confidences et parlons très peu de nos familles. Patrick m'a brièvement entretenu des siens à quelques reprises, mais j'ai bien compris qu'évoquer ses années de jeunesse passées en leur compagnie le mettait mal à l'aise. De mon côté, je ne lui ai pas non plus livré grand-chose. À propos de ma mère je lui avais simplement dit que c'était une femme très moderne, combative et d'une spectaculaire beauté. « Mec, c'est ta mère. On parle pas comme ça de sa mère, c'est louche, putain. « Spectaculaire beauté », tu t'entends ? On dirait que tu parles d'une barmaid de Laval. Quand tu dis ça, je te raconte pas le cinéma qu'on se fait tout de suite dans la tête. Non mec, ta mère c'est ta mère, point barre. »

En une autre occasion, j'avais évoqué les ascendances danoises de mon père et le métier de pasteur exercé jusqu'à sa mort. Cette erreur me valut une leçon de maintien. « Putain, t'es un fils de pasteur. Ça c'est chaud. C'est grave bizarre, non ? Il faisait quoi toute la journée ton vieux, parce que les messes et tout ça c'est que le dimanche. J'imagine pas être le fils d'une sorte de curé, non, c'est trop bizarre. Et le pasteur c'est celui qui vivait avec la "spectaculaire beauté" ? Ça aussi mec, c'est louche. Je sais que les pasteurs ils y ont droit au truc, mais, merde, quand même, avec ta mère, comme tu m'en as parlé, quand même, ça pique, mec, ça pique. Désolé, mais nous les catholiques on est pas habitués à ça. Chez nous personne baise personne. Les curés ils ont droit à rien. Même pas de se pogner une fois de temps en temps. Officiellement, bien sûr. Alors toi avec ton père qui fait son affaire à ta mère "spectaculaire", juste avant d'aller à l'église, excuse-moi encore, mais je trouve ça chaud. » Nous en restâmes là, et les incidentes familiales ou les mérites comparés des pratiques papistes ou huguenotes furent à jamais bannis de notre colocation.

Aujourd'hui, Patrick semble très nerveux. Il a reçu un courrier de sa mère pas spectaculaire lui annonçant qu'elle viendrait cette après-midi lui rendre visite au parloir. Pour l'occasion il s'est rasé de près et a cherché des vêtements pas trop froissés, une denrée rare dans une cellule de la taille de la nôtre, gérée par deux hommes et demi. Je l'ai également vu se coiffer soigneusement avec une brosse pour la première fois depuis que nous sommes détenus ensemble. On dirait un jeune garçon qui se rend à son premier rendez-vous amoureux. Il est nerveux. Son attente a commencé dès l'instant où il a reçu la lettre. Il est aussitôt redevenu le fils du prof qui aime les enfants des autres, celui de sa femme qu'il ne voit plus depuis si longtemps, celui à qui l'on promet d'en manger une s'il laisse traîner sa crosse dans l'entrée. Il ressent en partie que cette mère l'a aimé, même si elle n'en a rien laissé paraître. Sinon, pourquoi serait-elle venue de si loin, aujourd'hui, dans cette prison infamante, ce parloir scrofuleux ? Bien sûr qu'elle l'a aimé, même quand il faisait ses conneries et que le professeur le dérouillait dans sa chambre. Si elle ne le défendait pas, c'est qu'il n'était pas défendable, et que de toute façon son mari ne l'aurait pas supporté. Elle attendait secrètement qu'il disparaisse pour commencer à vivre, pour prendre dans ses bras chacun de ses enfants et leur demander pardon. « Ça va cette chemise marron avec mon pantalon bleu, ou je mets le gris ? À force de vivre ici je sais plus comment m'habiller. » Il hésite. Il se demande ce qu'en pensera maman. Si elle le jugera sur son apparence ou si elle le prendra tel qu'il est, vaurien et violent, mais issu de sa chair, fait à la va-vite avec du liquide professoral, un soir où ça lui était passé par la tête. Patrick est infiniment touchant. J'espère qu'elle le traitera bien.

Mon installation à Montréal coïncida, à quelques jours près, avec ma convocation pour la cérémonie officielle de remise de la citoyenneté canadienne. Presque cinq années d'attente pour obtenir cette deuxième nationalité. Une centaine de personnes venues du monde entier rassemblées dans une salle dédiée, deux drapeaux canadiens, un membre de la police montée en grand uniforme, une présidente en robe de fonction, un greffier lesté d'un collier de chaînes dorées, la remise du certificat à chacun des participants, avec toujours ces mêmes mots chaleureux : « Bienvenue dans la grande famille canadienne. » Ensuite, tout le monde se leva pour chanter *Ô Canada*, l'hymne national composé à partir d'un poème d'Adolphe-Basile Routhier mis en musique par Calixa Lavallée.

Je traversai le parc Jeanne-Mance, je marchai sur la rue Saint-Urbain, la place des Arts, je commandai un chocolat au Café 87, rien n'avait vraiment changé ; simplement, j'étais devenu citoyen canadien. Avec mon nouveau certificat en poche, je pouvais dorénavant me targuer d'être un Franco-Canadien fils de Danois de Skagen. C'était la première fois qu'en signant mon nouveau bail territorial, je choisissais moi-même le nom de ma nouvelle maison. C'était, pour moi, une expérience inédite. Quant à *Ô Canada*, chant truffé de bondieuseries guerrières – « Car ton bras sait porter l'épée / Il sait porter la croix » –, cousu de vers de mirliton écrits entre deux salves de bière, il ne valait guère mieux que l'épouvantable et terrifiante *Marseillaise* de mon pays natal. Je sais qu'un Franco-Canadien qui se respecte et aspire à un peu de paix et de dignité sur cette terre ne devrait jamais dire – et pas même penser – ce que je vais écrire : en matière d'hymne national, nul ne peut rivaliser, car où qu'il se joue et quelle qu'en soit la cause, le *God Save the Queen* fera toujours regretter à chacun de n'être pas anglais.

Je me plaisais à Montréal. C'était une ville oléo-pneumatique, confortable, l'une des rares cités du monde qui donnent le sentiment d'amortir les ressauts ou les chocs de la vie, de pouvoir avaler ou lisser le malheur. Il y avait la montagne, les eaux, les parcs, le fleuve et le bruissement de toute la ruche humaine concourant à une œuvre disparate qui, lentement, le soir, se dispersait pour regagner les alvéoles lumineuses de ses grands immeubles. Sans difficulté, je me glissais dans ce bourdonnement, d'abord comme vendeur à la quincaillerie Rona, située rue Notre-Dame, véritable paradis de la chose, de l'objet, éden de l'outil, de l'accessoire, où l'on se faufilait entre des étagères montant jusqu'au ciel et qui finissaient toujours par contenir l'impensable. Chez Loblaws ensuite, magasin général d'alimentation et de produits de consommation courante où l'on me demandait d'approvisionner un rayon des fruits et légumes tout droit sorti de l'atelier d'un vernisseur. Et enfin chez Canadian Tire, boulevard Saint-Laurent, fournisseur d'accessoires automobiles proposant aussi des réparations courantes sur les véhicules. Pendant près d'une année, à mon poste, à l'atelier, j'ai donc changé les filtres, les bougies, et vidangé *everything on wheels*[1] comme disait l'enseigne. Huit véhicules par jour. Près de 160 dans le mois. Aux alentours de 1 600 en une année.

Lubrifier n'est pas un métier. Personne ne peut passer ses journées à vanter l'onctuosité de la Valvoline Motor Oil, l'Amazon Basics, la Pennzoil, la Royal Purple Synthetic, l'Amsoil ou la Quaker State Oil. Je découvris qu'en ce domaine il existait une catégorie de clients obsessionnels compulsifs qui entretenait avec les lubrifiants des liens étranges, quasi affectifs. On

1. « Tout ce qui roule. »

pouvait penser que ces hommes, sur le cours d'une vie, se montraient probablement plus fidèles à ces flacons d'hydrocarbures raffinés et additivés qu'à la femme qui avait eu la patience de les regarder vieillir en les écoutant ressasser des histoires de bagnoles qui consomment toujours plus qu'elles ne le devraient.

J'ai quitté l'univers de l'huile et des pneus huit jours après mon trentième anniversaire. Je vivais dans un studio rue Clark, en face de la petite Italie et à deux pas du parc Jarry. Le gardien de l'immeuble était sans doute l'un des hommes les plus étranges et les plus drôles de cette ville et j'avais pour lui une infinie sympathie. Durant ses heures de travail, été comme hiver, il était toujours habillé d'une façon identique : souliers à bouts renforcés, chaussettes de laine montantes, bermuda avec poches latérales plaquées, sweat noir et veste chocolat estampillée UPS. Avait-il rêvé toute sa vie de sillonner la ville pour le compte de cette compagnie ? Toujours est-il qu'il en portait les armoiries et la caricaturale vêture. Outre cela, lorsqu'il arpentait les couloirs de l'immeuble, il imitait à la perfection toutes sortes de bruits de la vie moderne et domestique. Il nettoyait la porte de l'ascenseur en vibrionnant comme un blender, lavait les vitres en imitant le bruit de l'aspirateur qu'il passait en montant les rapports d'une formule un, faisait grincer des portes parfaitement lubrifiées. Quand le soir tombait et qu'il fumait une cigarette, assis sur les marches de l'immeuble, il contrefaisait le bruit du moteur diesel d'un bateau de pêche quittant le port. Durant ces interprétations, Sergei Bubka était seul en ce monde, ne cherchant ni à plaire ni à distraire. Quand il s'éloignait de la rive, à la bonne marée, il était tout simplement à la barre de son fileyeur, bercé par le ronronnement du Perkins. À sa façon, il construisait son monde, sonorisait son songe comme ces enfants à la bouche motorisée poussant leurs Dinky Toys sur les autoroutes du salon. Je m'entendais très bien avec Sergei Bubka. Quand je rentrais, il était parfois dans le hall. « Tu veux quoi ce soir ? » demandait-il. Je lui répondais : « Les portes du métro qui s'ouvrent et qui se ferment. » L'instant d'après, le signal sonnait et j'entrais dans la rame. Voilà.

Je dois énormément à Bubka. C'est lui qui m'a projeté dans ma nouvelle existence. Cette fois, sans même imiter le bruit d'une poignée de main d'embauche, mais en me présentant à Noël Alexandre, le président de l'assemblée des copropriétaires de l'immeuble *L'Excelsior*, situé quartier Ahuntsic, pas loin du parc éponyme. J'avais quelques fois réglé des petits problèmes électriques et sanitaires sur lesquels Sergei avait buté. Cela m'avait valu son admiration et sa reconnaissance éternelle. Aussi quand Alexandre, qui avait habité ici, lui avait confié au détour d'une rencontre fortuite qu'il cherchait un nouveau concierge pour remplacer l'actuel qui ne faisait pas l'affaire, Bubka avait simplement dit : « J'ai l'homme qu'il vous faut. » « Vous savez ce que m'a répondu monsieur Alexandre ? Il m'a dit : "Envoyez-le-moi." Et il a ajouté : "Il fait des bruits lui aussi ?" J'aime bien monsieur Alexandre, c'est un vieux monsieur très respectueux. »

Un mois plus tard, je m'installais à *L'Excelsior*, un immense paquebot, avec sa salle des machines, sa vie interne complexe, son immense bassin de nage, son jardin luxuriant, et surtout ses soixante-huit cabines empilées sur six ponts. L'une d'entre elles, sans doute la moins enviable de toutes, me fut réservée au rez-de-chaussée. Je fus engagé en tant qu'intendant avec une promesse de requalification de mon statut en superintendant si, au bout de trois années d'exercice, je donnais satisfaction. C'est ainsi que, bien loin de porter la tenue de commandant du navire, j'enfilais la combinaison kaki de factotum de *L'Excelsior*.

Ma première année fut un interminable cauchemar. Il me fallut combattre la fatigue, le découragement, les ténèbres. Submergé par les tâches communes, les demandes individuelles, les pannes, l'entretien courant démultiplié par la violence de l'hiver, je fus à plusieurs reprises sur le point de démissionner. Je perdis neuf kilos durant le premier exercice. Et le sommeil, une nuit sur deux. Je vivais constamment dans le ventre de la bête. Au bout de six mois, j'étais devenu incapable de mettre un nom sur les visages des résidents croisés dans les parties communes.

Horton avait mille fois raison quand il brocardait l'emploi du temps de mon père. En termes d'intensité, de concentration, de travail, de fatigue, tenir une église, la faire tourner rond, balancer des watts dans la Leslie et redresser les torts des Anglais une fois par semaine étaient effectivement une partie de plaisir, une activité de loisir, un passe-temps. En y réfléchissant, je pense n'avoir entendu mon père se plaindre qu'à l'époque où il cavalait de champ de courses en table de craps. Les heures de conduite de nuit, l'angoisse devant l'expansion des pertes, la crainte que toute cette seconde vie ne finisse par transparaître l'éprouvaient effectivement. Mais auparavant, durant toutes ces années où les chaisières lui avaient tourné autour, je l'ai toujours connu plein de vigueur, d'allant et frais, frais comme une rose.

Ici, avec leurs épines dressées comme des poignards, les rosiers m'attendaient dans le jardin et je devais les traiter et les tailler à la bonne saison, en biais, toujours à trois bourgeons sur les rameaux faibles.

Et les emmailloter pour l'hiver. Et ensuite m'occuper des sureaux, des amélanchiers, des cèdres bleus d'Himalaya, des hydrangées, ramasser les feuilles d'automne larguées en grappe par le bouquet d'érables. Et le gazon qui avait toujours soif en été, qu'il fallait garder impeccablement vert, et « coupé court », « mais pas trop ras non plus ». Et la piscine dans laquelle je me suis noyé plus d'une fois, incapable de maintenir les équilibres de ces 230 000 litres d'eau qui ne demandaient qu'à tourner de l'œil en voyant s'effondrer leur pH, ou à se livrer à des excentricités biologiques en invitant toute une colonie d'algues transformant, selon leur état de forme, le bassin en un grand réservoir de laiterie ou lui conférant au contraire les tonalités peu engageantes de l'épinard. Avant que la piscine ne soit traitée au sel, je bataillais comme je le pouvais avec du chlore quatre actions, du pH + et des bidons de floculent liquide pour précipiter au fond toute cette merde que je devais ensuite aspirer et rejeter à l'égout. Outre le coût indécent de l'opération, c'était une tâche toujours longue, surveillée de près et rythmée par les impatiences des propriétaires sanglés dans leurs maillots de bain. Ces micro-organismes dévoraient ma vie et m'obligeaient parfois à me rendre au chevet du bassin en pleine nuit pour constater l'étendue des dégâts, avant que les propriétaires ne se lèvent et ne découvrent la situation. Jusqu'à ce que ces eaux de divertissement soient traitées au sel et uniformément maintenues à 28 degrés par un système de chauffage électrique de fin avril à mi-octobre, je vécus en permanence, à la belle saison, avec ces 230 000 litres d'eau qui se balançaient au-dessus de mes nuits, susceptibles à chaque instant de rompre le pacte et de me submerger de honte.

Il m'est arrivé plus d'une fois de me présenter devant l'appartement de Noël Alexandre pour lui avouer mon échec, dans la posture navrée du commis contrit : « Cette nuit, je l'ai perdue. » Alexandre se tournait alors vers sa femme : « On l'a perdue. » Moins d'une heure plus tard, tout le monde était à son balcon, les yeux fixés sur le désastre, répétant qu'évidemment, bien sûr, on l'avait perdue.

Oui, cette piscine fut longtemps pour moi une source d'inquiétude et d'infinis désagréments. C'est d'autant plus curieux qu'elle fut aussi, bien des années plus tard, à l'origine de mon licenciement et, par voie de conséquence, de mon emprisonnement – mais cette fois, pour des motifs qui n'avaient rien à voir avec la réaction de son potentiel hydrogène.

En outre, tous les exercices de complications caractérisant ce bassin ne disparaissaient pas avec la fin des beaux jours. Car dès l'automne commençaient les procédures de vidange durant lesquelles les 230 mètres cubes de la cuve étaient expédiés à l'égout pour éviter qu'au cœur de l'hiver le gel ne fracture la maçonnerie et toute la tuyauterie. Bien que l'opération fût indispensable, jamais je ne pus me résoudre à enclencher ce protocole sans éprouver une véritable honte et le sentiment de commettre une mauvaise action. 230 000 litres bichonnés au chlore, puis, plus tard, étrillés au sel, chauffés au degré près six mois durant pour que la plupart des résidents puissent, sans frissonner, pratiquer leur nage indienne, et puis, d'un coup, tirer la chasse et expédier la pure marée de ce petit océan urbain vers les oubliettes de leurs commodités.

La seconde phase du processus d'hivernation consistait à purger avec un compresseur d'air toutes les canalisations de filtration, d'aspiration haute et basse, de refoulement et à mettre hors circuit le système de chauffage. Ensuite, il ne restait plus qu'à attendre la neige qui recouvrirait d'une couche d'amnésie cette béance bleue jusqu'à l'année suivante.

De ces premiers temps d'apprentissage j'ai retenu une leçon toute simple : les immeubles d'habitation ressemblent souvent aux gens qui les habitent et qui aiment qu'on leur ressemble.

Il y a une infinité de façons de gâcher sa vie. Mon grand-père avait choisi une DS19 Citroën. Mon père, le canal clérical. Pour ma part, je préférai entrer dans ce monastère laïc qui se chargeait de régler mes journées dans le soyeux ordonnancement des heures. Hors l'inattendu des pannes et des urgences, mon emploi du temps était toujours le même. Le matin, je commençais par faire ma tournée dans tous les couloirs de l'immeuble pour en vérifier l'état général de propreté. Ensuite je testais les ascenseurs, les éclairages, les systèmes électriques et, quels que fussent le temps ou la température, je montais sur le toit pour vérifier les systèmes d'aération. Huit colonnes, chacune équipée de trois moteurs dévolus à la ventilation, à l'extraction des odeurs et à la déshumidification. Je testais le bon fonctionnement des clapets, attentif aux bruits de roulement de chaque groupe pour détecter les premiers gémissements dus à l'usure. De retour à l'intérieur, je descendais au sous-sol pour tester le bloc de pompe de relevage, lubrifier les volets des portes du garage, contrôler le bon fonctionnement du système d'alerte incendie, celui de la sécurité générale comme de tous les boîtiers permettant d'accéder à l'immeuble au moyen de badges. Au retour, avant de débuter ma journée d'entretien proprement dit, je m'arrêtais dans la pièce dédiée au système d'enregistrement vers lequel convergeaient les vingt-quatre caméras de surveillance couvrant la plupart des zones intérieures et extérieures de l'immeuble.

Cette ronde préliminaire était essentielle, car elle me permettait d'anticiper les problèmes avant qu'ils n'engendrent eux-mêmes une cascade d'autres dysfonctionnements.

L'Excelsior était à l'image de sa piscine. C'était un immeuble fragile, fantasque aussi, joueur, primesautier. Été comme hiver, il fallait toujours garder un œil sur lui. Sinon, profitant de la moindre inattention, il risquait de me fausser compagnie. Charge à moi de le ramener ensuite à la raison et à la maison. Il en allait alors de *L'Excelsior* comme du dentifrice, prompt à gicler hors de son tube, moins fervent pour y retourner.

Depuis deux jours, une épidémie de gastro-entérite s'est répandue dans toute la prison. C'est un véritable supplice et la promiscuité, le partage des lieux d'aisances ne font que faciliter la propagation de la maladie. Les cellules tombent les unes après les autres et les distributions systématiques d'Imodium ne semblent pas avoir d'effets probants pour le moment. Les odeurs pestilentielles se propagent dans tous les bâtiments. Les gardiens portent des masques, des gants de latex et ont pour consigne de ne pas avoir de contact avec les détenus. J'espérais que la maladie épargnerait notre condo, mais hier, nous avons été touchés à notre tour. La nourriture est, semble-t-il, à l'origine de ce mal dont la propagation a été fulgurante. Devoir s'asseoir devant l'autre et faire dans l'urgence est une humiliation dévastatrice. Nul ne naît pour vivre cela. J'accepte de moins en moins la violence de cet univers et sa brutalité.

À chaque besoin, je me précipite et m'excuse auprès de Patrick. « Fais pas ta fillette, bonhomme. C'est comme ça. Ils nous tiennent. Alors te complique pas la vie. Vide-toi tranquille, libère-toi et fais pas attention à moi. Écoute-bien ce que je te dis : je vois rien, j'entends rien, je sens rien. »

Il y a parfois quelque chose de noble dans la sauvagerie animale d'Horton, quelque chose qui le place au-dessus de ses juges et de ses gardiens, au-dessus de son père qui a passé sa vie à enseigner mais qui n'a rien appris. Au moment où on l'attend le moins et où la situation ne s'y prête guère, il émet un éclair, une fulgurance d'humanité.

Un gardien nous a dit que, d'après le médecin, tout rentrerait dans l'ordre d'ici une semaine. En attendant, notre alimentation sera à base de riz. Patrick et moi essayons de dormir le plus possible, mais les spasmes de nos entrailles brailleuses ne manquent pas de nous rappeler à l'ordre. Avant de se coucher, Horton m'a fait une demande. « Si ça va mieux, tu pourras me couper les cheveux, demain ? » Fallait-il que Patrick ait véritablement confiance en moi pour me confier cette tâche, car quiconque avait assisté, ne serait-ce qu'une fois, à une séance d'embellissement capillaire de l'animal, aurait immédiatement demandé un transfert de cellule.

Ce matin, les choses vont mieux. Les odeurs semblent avoir migré pendant la nuit et nos entrailles se sont assagies. Patrick, lui, est prêt. Le dos raide, assis sur le tabouret, une serviette sur les épaules. Il est extrêmement tendu, anxieux. Ses mâchoires sont à ce point contractées et sa gorge nouée que c'est à peine s'il arrive à prononcer les quelques directives qu'il m'adresse : « Pas trop court, hein, et surtout tu coupes doucement, et pas de gros paquets de cheveux. Il faut pas que j'entende le bruit des ciseaux qui craquent sur les mèches. Vas-y vraiment mollo. Si je sens que ça va pas, je te le dis et t'arrête de suite. Si je suis vraiment pas bien je serai obligé de m'allonger par terre un petit moment. C'est normal, t'en fais pas. Je te fais confiance. Allez, putain, laisse-moi encore une ou deux minutes et on y va. »

Patrick Horton souffre d'une phobie assez rare qui le poursuit depuis l'enfance. Il considère ses cheveux comme partie intégrante de son corps et le fait de les couper provoque chez lui une sorte de malaise physique. « Je sais pas comment te dire. C'est un peu comme si tu me sectionnais un bout de doigt ou un petit morceau d'oreille, comme si tu m'amputais vraiment de quelque chose. Ça me provoque une douleur. Mes cheveux, ils font entièrement partie de moi. C'est pour ça que je peux pas aller chez le coiffeur. À la maison, c'était ma mère qui les coupait. Elle avait le coup, elle me parlait, tout ça. Moi, c'est pas possible. J'ai essayé, tout seul, dans la glace, mais à chaque fois que j'appuyais sur les ciseaux je tournais de l'œil. Tu te vois te couper toi-même un bout de langue ? »

Je fais glisser les cheveux de Patrick entre mes doigts. Avec des gestes d'une infinie délicatesse, je commence à grignoter brin par brin dans cet amas de poils. Autant débroussailler la jungle avec un coupe-ongles. « Vas-y doucement, pas trop à la fois, et tire pas dessus. Surtout fais pas craquer les ciseaux, ça je peux pas, désolé mec. » Le corps tout entier de Patrick commence à trembler imperceptiblement et je vois perler des gouttes d'angoisse sur sa lèvre supérieure. « Arrête, arrête. On arrête deux minutes. » Au sol, à peine l'ébauche d'une touffe, une esquisse de poils. À ce rythme, la semaine ne suffira pas. Pendant la pause, je nous prépare une tasse de café que Patrick boit, grelottant, les deux mains collées au bol, à la manière d'un rescapé tout juste sauvé d'un naufrage.

Les ciseaux font de leur mieux, mais, même menés au pas, les lames acérées émettent leur crissement caractéristique quand elles grignotent la cutille, le cortex ou la medulla. Et c'est exactement ce que Patrick ne peut endurer. « Arrête, putain, ça va pas, ça tourne, faut que je m'allonge, ah putain. » Et l'homme et demi glisse doucement de son tabouret vers le sol, s'enroulant sur lui-même comme un gros animal domestique. Je m'accroupis près de lui, pose ma main sur son épaule, j'écoute sa respiration qui peu à peu s'apaise et nous restons là, côte à côte, tout le temps nécessaire.

Mes nuits de panique, mon manque d'assurance régressèrent avec le temps, et les années passant, l'intendant timoré de *L'Excelsior*, conformément aux termes de son engagement et à l'issue du troisième exercice, fut promu au grade d'intendant général. Pour dire les choses simplement, ce nouveau statut me conférait certes un surcroît de salaire, mais surtout un volant de charges plus élevé puisque aux responsabilités qui étaient déjà les miennes s'ajoutait la gestion administrative de l'immeuble, comme l'achat de tous les consommables, les commandes des produits et des outils d'entretien, les relations avec les entreprises prestataires, et les prises de rendez-vous. D'une certaine façon, je menais une petite affaire. Et là encore, passé un temps d'adaptation, je me glissai tranquillement dans l'uniforme de ce surintendant que l'on appelait par son petit nom et qui était devenu la cheville ouvrière et peu à peu le familier, parfois même le confident, de tout l'immeuble.

Mon périmètre d'action et d'intervention s'arrêtait à la porte de chaque appartement. Ce qui se passait au-delà ne me concernait pas. À chacun de se débrouiller avec ses pannes, ses fuites, ses black-out, ses problèmes de téléphone ou de câbles.

Au début des années 90, *L'Excelsior* était habité par des gens plutôt âgés qui s'y étaient installés à l'origine dans le but d'y jouir plus tard de leur retraite dans un cadre confortable et soigné. Ce moment était arrivé. Et comme le destin avait décidé de gâter ces propriétaires, il leur avait trouvé un surintendant franco-canadien qualifié en rien mais spécialiste en tout, capable justement de tordre le cou des pannes, des fuites, des black-out, des problèmes de téléphones ou d'entortillements de câbles. C'est ainsi que, malgré l'interdiction du règlement, les portes palières s'ouvrirent devant moi. Sorti de mon propre appartement, l'immeuble entier devenait un peu ma résidence secondaire. Durant ces années-là, sur ses soixante-huit résidents, *L'Excelsior* comptait vingt et une femmes seules, toutes relativement âgées. Et toutes comptaient sur moi. Parfois pour déboucher un évier, parfois pour évoquer le passé et alléger une mémoire prête à déborder. Certains soirs, j'avais l'impression d'avoir passé plus de temps à écouter crisser les âmes qu'à vérifier sur le toit les grincements des extracteurs. Mais j'avais trente-cinq ans, la patience d'un ange et surtout ce goût qui ne me quitterait plus jamais, cette envie de réparer les choses, de bien les traiter, de les soigner, de les surveiller. Et pourquoi pas, quand on m'en faisait la demande, de procéder de la même façon avec les soixante-huit propriétaires qui ne se privaient pas d'aller en répétant : « Si vous avez un problème, Paul a la solution. »

Le 14 mai 1991, je fus confronté à une situation qui, elle, ne connaissait aucune solution. Gunther Ganz, le compagnon de ma mère, m'appela au milieu de la nuit pour m'annoncer sa mort.

J'entends encore sa grosse voix toute marbrée de ses ascendances germaniques me dire au téléphone : « Fodre bère a bassé il y a oun heur. Elle n'a ba zoufer. Zé tun zuicite. »

Aéroport de Dorval. Vol Air Canada. Sept heures trente d'un voyage de nuit. Genève Cointrin. Ganz qui m'attend. Sa Mercedes des années 70. Il parle très peu. Sa maison, sombre, remplie d'un autre temps. L'escalier tendu de velours rouge et dont le bois grince. La chambre et le corps de ma mère. Vêtue comme pour les beaux jours. Les mains croisées sur le ventre. Un visage repeint aux couleurs de la vie. On dirait qu'elle se repose. Que la mort n'a fait qu'entrer et sortir. Qu'elle va ouvrir les yeux, apercevoir son fils et lui demander de venir s'asseoir près d'elle. Elle ne porte aucune montre, aucun bijou. Ganz a déjà tout rangé dans le coffre. Ganz a l'air d'être un rangeur. J'aimerais poser ma main sur celles de ma mère, sur son visage, mais je n'ose pas. Ganz reste près de moi dans sa posture de douanier sceptique. Le bruit d'une moto qui passe. Au loin, une anse du lac.

« La grébazion est temain matin. » Sur la table de nuit les flacons sont encore là. En rang, alignés comme une petite armée victorieuse. « Zé tun zuicite. »

Il me l'avait déjà dit au téléphone et tout à l'heure à l'aéroport. Je suis le fils de cette femme. Je soigne un immeuble. J'aide les vieux, parfois les malades. J'aimerais aussi pouvoir ressusciter les morts. Je m'assois sur le rebord du lit, j'effleure sa peau aussi froide que celle de mon père. Alors, bien loin de Ganz, spectre infinitésimal, chargées de tout le limon de nos vies, remontant des sentiers de l'enfance, emplies d'un amour initial intact, porteuses de tant de choses que nous n'aurons plus, les larmes du petit Paul Hansen tombent sur l'emmanchure cotonneuse de la veste de sa maman.

Ganz, éternel garde suisse, fakir de contrebande, lui, garde la pose. La moto repasse dans l'autre sens.

Crématoire Saint-Georges, chemin de la Batie à Genève. Des arbres résineux, de larges escaliers menant à un gros bloc de béton et de verre. Des sortes de tourelles avortées à son sommet. Les gros fours BBC carrelés de faïence blanche. « Fodre mère a révuzé lé zervize té la rélichion. » Ganz avec cette voix de maudit, qui se sent obligé de toujours sous-titrer le cours des évidences. Je me doute bien que l'ex-femme de pasteur turfiste, Anna Margerit, ma mère, jadis ambassadrice de *Deep Throat*, missionnaire de *Porcherie*, athée de la première heure, n'allait pas quémander les onctions pastorales avant de griller dans les brûleurs à gaz. À l'égal de Médée elle entra dans les enfers, impie, emportant avec elle toute la grâce et la beauté du monde.

Le voyage du retour se dilua dans un demi-sommeil de lassitude. À l'arrivée le soleil embellissait Dorval, le Canada ressemblait à Majorque, *L'Excelsior* lézardait au bord d'une eau immaculée. Malgré l'heure avancée, je montai sur le toit vérifier les rotors et m'assurer que mon petit monde respirait librement, qu'il continuait à tourner rond, dans un silence serein, sans la moindre friction.

Le Beaver de Winona

Les avatars capillaires de Patrick n'ont pas eu de suite. Il a finalement choisi de conserver chaque follicule de sa tignasse et de l'enserrer dans une sorte de filet noir comme en portent parfois les prisonniers californiens qui s'acharnent sur des bancs de musculation. Aujourd'hui, la prison est en effervescence. Un membre du ministère de la Justice va venir visiter ce centre de détention. En sa présence, toutes les portes des cellules devront rester ouvertes et les prisonniers demeurer à l'intérieur. Le représentant du ministre se rendra dans chaque aile et dialoguera avec les détenus.

La nouvelle a eu l'air de réjouir Patrick. Depuis, il a fait un petit cahier de doléances dont lui seul connaît la teneur, qu'il dit vouloir remettre à notre visiteur s'il fait un arrêt dans notre cellule.

Comme un gros ours qui sort d'un long hiver, Patrick Horton semble récupérer toute sa vigueur, et l'éventuelle rencontre avec ce membre de l'appareil d'État, l'équivalent pour lui d'un énorme pot de miel, ne fait qu'aiguiser sa gourmandise.

Richard Sorel a timidement frappé à notre porte. Accompagné de deux membres de la Gendarmerie royale du Canada, il est entré et nous a présenté, à Patrick et à moi, ses lettres de créances. Richard Sorel avait le visage d'un brave homme. Indéniablement. Il était aussi probablement le dernier ou l'avant-dernier des douze ou treize enfants règlementaires que son père avait dû essaimer tout au long des années, et l'on sentait bien qu'à l'heure des repas, tous les autres lui étaient passés devant. Ce qui expliquait que, même arrivé à l'âge adulte, il continuât d'arborer une maigreur telle que sa chemise donnait l'impression de flotter comme une bouée autour de son cou. Patrick regardait fixement Richard Sorel, presque intimidé devant un être aussi menu, et paraissait déçu de ne pas pouvoir faire valoir ses droits face à un solide gaillard de son monde. Quand le sous-ministre demanda si nous avions des observations à formuler sur la prison de Bordeaux, Patrick Horton prit l'affaire en main. « Je vous ai écrit un petit topo sur ce papier, mais avant, je vais faire une mise au point. D'abord, contrairement à d'autres, moi je suis ici pour rien. Je suis innocent. Tout ce dont on m'accuse est faux. Je suis un Hells, ça c'est vrai, mais moi je touche qu'aux motos, le reste, la drogue, tout ça j'y ai jamais mis un ongle. Ça, c'est le premier point. Ensuite, je vais vous poser deux ou trois questions. Je sais pas où vous habitez vous, mais est-ce que vous pourriez vivre ici, dans cette boîte minuscule, vingt-quatre heures sur vingt-quatre avec un type que vous aviez jamais vu avant d'arriver ? Manger et dormir tous les soirs avec lui ? Vous pourriez chier devant lui ? Parce que c'est comme ça que ça s'appelle. Trois cents jours par an, ici, on bouffe du poulet bouilli avec des trucs tu sais même plus ce que c'est dedans. La bouffe non seulement elle est infecte mais, en plus, elle est dangereuse. Vous pouvez demander aux autres, ils vous le confirmeront. La semaine dernière on a tous chopé la fouiste, toute la taule d'un coup, à se vider du matin au soir les uns devant les autres et à croquer de l'Immodium par poignées. Et les rats, les souris, y en a chez vous ? Ici, ils vivent en permanence dans la prison et grattent toute la nuit. Un putain de bruit qui vous empêche de dormir. On est obligés de boucher les fentes avec de l'acier et des clous. Et j'oubliais le chauffage. Je sais pas combien il faisait à Noël dans votre ministère, mais ici, cet hiver, on dormait habillés, enveloppés dans des couvertures qui puent le vieux pneu. Et je parle pas de tout le reste, des promenades écourtées, des activités pourries et des gardiens qui nous traitent comme des merdes. Alors vous imaginez tout ça quand, en plus, comme moi, vous êtes innocent. Si vous voulez vous renseigner, je vous ai écrit mon nom sur le papier. Horton. Patrick Horton. »

Dans le havresac qui lui servait de costume, avec ses vêtements épousant la forme de ses os, le sous-ministre Sorel semblait sortir d'une essoreuse. Et c'était un peu ce qui lui était arrivé. Il venait simplement de croiser l'homme et demi au meilleur de sa forme, pugnace, précis, concis. Il allait lui falloir un certain temps pour reprendre ses esprits.

Avant de quitter la cellule avec ses deux gendarmes qui, par leur seule présence, accentuaient encore l'exiguïté de notre condo, Richard Sorel me tendit une main pleine de je ne sais quoi, puis il s'adressa à Patrick. « Je vous remercie pour votre courage et votre franchise. » Et puis le petit homme maigre sortit comme il était venu, discrètement, par la porte, entre deux gendarmes.

Ce soir le gardien principal est venu nous rendre visite, histoire de savoir si tout s'était bien passé avec le représentant du ministère. « J'espère que vous avez pas raconté trop de conneries, Horton. » Tout en remettant son filet en place sur sa toison, Patrick sourit. « Moi, chef ? Jamais. »

Au tout début du mois de juin de cette année 1991, dans la salle de réunion de la résidence, se tenait la séance annuelle plénière du conseil d'administration de *L'Excelsior* présidée par mon bienfaiteur, Noël Alexandre. La grande majorité des propriétaires assistaient à cette réunion où l'on décidait du choix des dépenses prioritaires pour l'année à venir et entérinait les comptes de l'exercice écoulé. Cela se déroulait en famille avec parfois quelques frictions mais à la fin des fins, tout le monde se retrouvait autour d'une coupe de vin pétillant ou un verre de chardonnay.

Kieran Read, qui exceptionnellement cette année-là n'était pas en voyage, avait assisté aux réjouissances statutaires, saluant les autres résidents d'un sourire ou d'un signe de tête, sans pour autant se mêler à eux. Je me souviens très bien que ce soir-là nous avions bavardé d'une de ses affaires qui l'avait mené à Baltimore pour une histoire sordide. Quatre enfants avaient collaboré avec la compagnie d'assurances en révélant les turpitudes privées de leur père défunt, pour que la très grosse prime versée à leur mère soit minorée dans des proportions scandaleuses. « J'avais été obligé d'enregistrer leurs témoignages, c'était mon travail. Je n'ai jamais su pourquoi ils avaient à ce point sali leur père et appauvri leur mère. Il s'est dit, un peu plus tard, que les assureurs avaient su se montrer reconnaissants en leur offrant une gratification à chacun. D'après ce que je vois, vous n'avez pas d'enfant, Paul. C'est bien, n'en faites jamais. Croyez-moi, un jour ou l'autre ils finissent par vous chier dessus. »

J'avais souvent remarqué qu'au retour de certaines missions humainement éprouvantes, Read pouvait avoir une piètre opinion de lui-même et de ses semblables. Il s'enfermait alors plusieurs jours dans son appartement comme pour se décontaminer avant de reprendre jusqu'au prochain appel de la compagnie le cours d'une vie normale. « Vous savez, *Casualties adjuster* n'est pas un métier. Au commencement, j'étais avocat et je travaillais essentiellement avec les syndicats. Et puis ma mère est tombée malade. Entre les traitements et les opérations, elle a perdu tout ce qu'elle avait en six mois. Alors il a fallu que j'assume la suite, l'hospitalisation de longue durée, ses frais de garde et de santé. C'est à ce moment-là qu'on m'a proposé mon premier boulot. Je m'en souviens très bien. Une histoire bizarre. La victime roulait dans son pick-up à 100 kilomètre/heure sur une route de campagne. Dans un virage, un cheval est sorti de nulle part juste devant son capot. Il a percuté la bête qui a traversé le pare-brise et est ressortie par la lunette arrière. C'est difficile à croire, mais cela s'est produit exactement comme ça. À l'arrivée des secours, les ambulanciers ont découvert le chauffeur totalement écrasé par les flancs de l'animal au moment où celui-ci avait traversé la cabine. C'était ça, ma première histoire. Pas très loin d'ici, dans le nord de l'État de New York. On m'avait embauché pour enquêter sur la vie du mort. Vous voyez, c'est grâce à des chevaux imprudents et à des hommes malchanceux que j'ai pu offrir à ma mère une vie décente pendant encore sept ou huit années. Vous avez encore vos parents, Paul ? »

À une quinzaine de jours près, j'aurais pu sans doute répondre que oui. Mais, là, aujourd'hui, non, mes parents étaient morts. Il n'y avait motif à enquêter sur quoi que ce soit. Aucun des deux n'avait croisé la route d'un cheval. À part peut-être mon père, avec ses jumelles et sa casquette, dans la dernière ligne droite.

Le temps passant, j'éprouvais la conviction profonde que Read ployait chaque année davantage sous le poids des morts dont il devait fouiller les poches. Toujours à l'épicentre du malheur, confronté à des assureurs prêts à tout pour minorer leurs pertes, à des familles avides de majorer leurs gains, à des juges imprévisibles et à des avocats férocement accrochés à leur pourcentage de conseil, Read trempait dans ce ragoût d'humanité délétère où mijotaient les pires travers, les bas morceaux de l'espèce. Sa tâche consistait à éviter à tout prix le procès, et pour cela, circonvenir les parents de la victime, négocier entre quatre murs, leur laisser accroire que la compagnie était à leurs côtés, compatir dans ces moments difficiles et les convaincre d'accepter son offre, peut-être inférieure à leurs attentes mais disponible là, tout de suite, évitant ainsi les longueurs d'un procès toujours aléatoire, avec ses enquêtes, ses contre-enquêtes sur la vie privée et d'énormes frais d'avocat. C'est ainsi que l'*adjuster* ajustait à la baisse, dans l'intimité d'un salon, de pauvres gens affaiblis par le deuil et inquiets de ce qu'on pourrait peut-être trouver dans les poches ou les placards du père.

Peu de temps après la réunion du conseil d'administration, il sonna à ma porte. « Vous faites quelque chose de particulier, Paul ? Si vous êtes d'accord, je vous invite à dîner au restaurant. J'ai lu un dossier toute la journée, je n'en peux plus, j'ai la tête qui va exploser de toute cette merde. »

Lorsque nous avons repassé les portes de *L'Excelsior*, vers une heure trente du matin, Kieran Read, me tenant par le bras, parlait à s'en écorcher les lèvres, jetant par-dessus bord tout ce qui l'encombrait, tout ce qui souillait sa mémoire, dispersant sa honte et ses regrets dans la neutralité de notre hall étincelant de miroirs et de lumières halogènes. « Tout ça n'est finalement pas si compliqué. Au contraire. Les inégalités de la vie sont généralement reconduites et confirmées par voie de justice jusque dans notre mort. Pour un assureur, le décès d'un chef d'entreprise new-yorkais est une sale affaire, car l'indemnisation versée à la famille sera entre dix et vingt fois supérieure à celle d'un éleveur de chevaux disparu dans le Montana. Il existe une cartographie du malheur, on sait tous cela, une liste de comtés où un mort vaut de l'or. Vous savez quel est le pire cas de figure pour un assureur qui n'a pas pu trouver une entente avec la famille du disparu et qui se retrouve devant le juge ? Sans hésiter, un enfant tué par un airbag, ou alors un Blanc de quarante ans, urbain, bon boulot, marié, deux gosses, aimant sa famille et prenant soin de ses vieux parents. Dans les deux cas c'est la ruine pour la compagnie. Quand l'affaire paraît trop lisse, comme dans le cas du Blanc de quarante ans, c'est là qu'on me demande d'enquêter. Sur sa santé par exemple. C'est bizarre, mais la santé d'un mort peut influer sur le montant de l'indemnisation. Un fumeur voit sa cote baisser. Un hypertendu traité, c'est encore moins bon. Séropositif, là, elle s'effondre littéralement. Imaginez que dans les barèmes de la profession et ceux des jurys, une victime sociable, qui sortait, voyait des amis, pratiquait des activités sportives (on appelle ça les *outdoorsy people*) vaut plus cher qu'un type solitaire qui reste chez lui à lire ou à regarder la télévision. En fait, vous voyez, l'Amérique est cet endroit merveilleux, ce territoire délicieux où l'on adore que les morts soient athlétiques, actifs et surtout en bonne santé. Sans oublier une prime supplémentaire pour la famille de ces défunts qui ont, en plus, toujours pratiqué ce que nous appelons une "loyale sexualité familiale". Devant la cour, il suffit qu'une veuve déclare se retrouver privée de "satisfaisantes et fréquentes relations sexuelles" pour qu'un jury lubrifie son chagrin avec une gratification qui va de 250 000 à 300 000 dollars. Et vous savez quoi, Paul ? Une chose étonnante qui se vérifie à chaque fois : plus la veuve est jolie, plus la compensation est élevée. Si c'est une mère au foyer qui disparaît dans un accident, on nomme alors un expert domestique pour évaluer, outre le *pretium doloris*, l'indemnité censée compenser le montant des travaux ménagers et familiaux que cette femme accomplissait chez elle. Cuisine, entretien de la maison, courses, éducation des enfants, comptabilité du foyer. Tout sera ensuite pesé, évalué au prix du marché et chiffré en termes de "pertes économiques". Mais aujourd'hui, ce sont les requêtes pour *pain and suffering* ou pour *emotional loss*, lorsqu'elles mettent en cause de grandes compagnies, qui atteignent les montants les plus démesurés. Dans une affaire de ce type jugée récemment, Qualls *vs* Case, je m'en souviens très bien, le cabinet Booth and Koskoff de Los Angeles, représentant du demandeur, a empoché 17,5 millions de dollars. Mais avant de débourser de pareilles sommes, les compagnies nous demandent toujours de fouiner, de gratter, de vérifier que le mort n'était pas aussi un bon vivant, qui allait quelquefois voir ailleurs. C'est comme ça que ça se passe, Paul, exactement comme ça. Je fais un sale boulot, avec de sales méthodes, au milieu de sales gens. Lorsque vous mourrez, même si, ici au Canada, les choses sont un peu différentes, votre véritable valeur posthume dépendra peut-être du vice d'un avocat, de la vertu d'un *adjuster*, du passé qui fut le vôtre, du futur que vous n'aurez jamais, de la couleur de votre peau, de votre manque de pot et aussi de vos aptitudes en matière de sexualité "satisfaisantes et fréquentes". Satisfaisantes et fréquentes, Paul, n'oubliez jamais ça de votre vivant. »

J'avais demandé à Read pourquoi, après la disparition de sa mère, il n'avait pas lâché toutes ces histoires, tiré un trait sur ce monde, pour revenir vers son métier d'origine. Il m'avait répondu que c'était trop tard, qu'il n'avait pas eu le courage de tout reprendre de zéro. Il avait fait fausse route, il le savait, mais ce chemin il le suivrait jusqu'à son terme. Cette nuit-là, j'eus énormément de difficultés à trouver le sommeil. La faute en incombait à Read, à ses confidences dont la nature me mettait parfois mal à l'aise, à certaines de ses histoires qui, même après son départ, allaient et venaient dans ma tête. Cette nuit-là, un homme et une femme roulaient en voiture à bonne allure. Un camion semi-remorque venu de la droite leur coupa la route. Ils n'eurent même pas le temps de ralentir, passèrent sous l'attelage qui découpa toute la partie haute de la voiture. En bout de course, elle s'arrêta au milieu de la chaussée cent mètres plus loin. Assis bien droit, sanglés à leurs sièges, les corps de l'homme et de la femme. Leurs crânes avaient été ouverts en deux, sectionnés à l'identique, ne laissant apparaître que la mâchoire et la dentition inférieure de chacun. Les parties supérieures manquantes avaient roulé sur la route, chevelures et cervelles mêlées. Quel était le véritable état de santé de ces morts ? Étaient-ils des *outdoorsy people* fréquemment satisfaits ?

Ce matin, mieux vaut rester à bonne distance de Patrick. Il a appris par son avocat que sa moto pourrait être saisie par la justice en tant que pièce à conviction dans l'affaire qui le concerne. C'est un modèle Fat Boy, moteur Milwaukee Eight 107, 6 vitesses, 25 000 dollars, 1 745 centimètres cubes, soit 14,32 dollars le centimètre cube. La photo du « gros garçon » est posée sur sa tablette. Je voudrais pouvoir dire au juge qu'il ne faut pas toucher à l'engin, que cela va inévitablement réveiller le volcan, et que l'homme et demi va subitement en valoir bien plus de deux. Je voudrais pouvoir dire au juge que quoi qu'ait fait Patrick, quel que soit le forfait qu'il ait commis, il faut conserver sa moto à l'emplacement où elle est garée, ne pas poser ne serait-ce qu'une main dessus, laisser dormir le « gros garçon » sous sa housse à l'abri du temps et de la justice des hommes. Si quelque chose pouvait sauver Patrick Horton c'était sa Harley et ses centimètres cubiques à 14,32 dollars pièce. Réquisitionner l'objet, c'était ouvrir un conflit, déclarer la guerre à Horton, prendre le risque d'ôter tout ce qui restait en lui d'humanité. Et d'en faire un nouveau Maurice « mom » Boucher, ancien leader des Hells, condamné à la prison à vie pour le meurtre de deux gardiens de prison.

Toute la matinée, Horton s'en est allé marmonnant : « Celui qui touche à la moto, il est mort, putain, je le coupe en deux. Parole de Hells, je le désosse. » Il ne s'adressait à personne en particulier, il marchait et grognait sa rage comme un animal sauvage dépossédé de sa proie. Vers midi, intrigués par son agitation, deux gardiens sont allés le voir dans le couloir et ont bavardé un moment avec lui. Deux heures plus tard, il était conduit dans le bureau du directeur de la prison.

Emmanuel Sauvage n'est pas un homme pire qu'un autre. Il fait simplement, lui aussi, un sale métier, au milieu de quelques sales types qui ont, pour la plupart, mené de sales vies jusque-là. Il dirige cet établissement mal entretenu avec ce que le ministère lui octroie pour offrir gîte et couvert à ses pensionnaires. Il vient nous voir de temps en temps, emploie un ton familier pour s'adresser à nous, et ne fait montre, à notre égard, ni de sévérité excessive ni d'empathie débordante. C'est à peu près tout ce que je peux dire de cet homme qui a mis moins de deux heures pour convoquer Horton dans son bureau aussitôt qu'il avait appris que le lascar voulait découper en deux un bon quart ouest de la population de cette ville.

En milieu d'après-midi, j'ai vu revenir Horton avec cette démarche particulière qu'il adopte lorsqu'il est en forme et heureux d'être en vie. Il semble alors posséder des chaussures montées sur ressorts lui donnant une étrange impulsion verticale à chaque pas. Son visage rayonne, et à la façon d'un jeune sénateur en campagne, il adresse un salut de la main à tous les types qui croisent son chemin. En entrant dans la cellule, il n'a pas eu un regard pour moi, s'est dirigé vers la photo de la « Fat Boy » et l'a embrassée comme si c'était un enfant revenant de la guerre. « Trop fort, Sauvage, trop puissant le mec. Tu le crois ça ? Il me fait grimper chez lui, il me demande ce que c'est ce bordel que je mets dans la taule, j'explique mon truc en cinq minutes, il remue la tête, et me dit : "Attends dans le couloir, j'appelle le greffier." Cinq minutes, même pas cinq minutes après, il me dit : "Voilà, c'est réglé, la "Fat Boy" elle reste chez toi. Ton avocat a rien compris. Alors, maintenant, nous fais plus chier." Et là, au lieu de me balancer dehors il me fait asseoir, ouais ; Sauvage, il me fait asseoir et tu sais quoi ? Il me parle bécane, tout ça, et je sens que le mec il a l'air de toucher sa bille. Il me pose des questions sur la Fat Boy qui viendraient pas à l'esprit d'un type qui roule en Audi. Et là, d'un coup, il me lâche le truc et me dit que lui il a aussi une Harley, la Softail Slim, ça te dit rien mais c'est une vraie machine de voyou, un engin superbe monté sur des pneus de malade en 140/90/16. Tu te rends compte le boss, Sauvage himself, qui se les roule en Softail ? Putain quand il m'a dit que pour la mienne c'était réglé je lui aurais roulé une pelle. Alors, après, son histoire sur sa Slim et ses gommes, tu parles, tout ça, c'était que du bonus. Tu peux croire l'histoire ? Le patron en Harley ? Excuse-moi, fils, si ça t'ennuie pas, je vais en démouler un vite fait, ça m'a foutu un mal au bide terrible toutes ces émotions. Et après, si tu veux, je crois que cette fois ça devrait aller, tu pourras me couper les cheveux. »

Il existe un dieu des motards, ça ne fait aucun doute, un type qui roule peut-être en « Heritage Classic » et suffisamment joueur pour réunir, dans une même communion, le mâle dominant de la prison et son dresseur appointé.

La nuit est calme. Toute la tension accumulée dans la journée est retombée. Dans un espace aussi réduit que le nôtre, l'atmosphère se dégrade très vite au contact de nos humeurs négatives et de nos emportements. Comme à l'approche d'un orage, l'air se charge d'ions positifs qui nous oppressent. Mais cette fois encore, la routine de nos vies a repris le dessus et mon voisin s'est endormi comme un enfant à qui l'on a rendu son jouet. La prison sommeille, les gardiens et les détenus dorment, il n'y a que moi qui veille avec à mes côtés Winona, Nouk et le pasteur. Je les ai attendus le temps qu'il a fallu. Maintenant ils sont là. Mes yeux sont grands ouverts. J'ai tant de choses à dire. Leur compagnie est, et sera, tout ce qui me reste.

Comme cela a déjà été consigné, mon emprisonnement eut lieu à la prison de Bordeaux, située boulevard Gouin, en bordure de la rivière des Prairies, presque à portée d'injures de mon domicile, *L'Excelsior*. Et comme si le destin avait voulu m'assigner à résidence dans ce quartier, il m'avait fait rencontrer Winona, toujours sur ce même boulevard, longeant cette même rivière servant d'hydrobase à quelques petits avions montés sur flotteurs et qui assuraient, à la demande, le transport de colis et de passagers, de lac en lac, dans un rayon de 300 kilomètres de Montréal. La toute petite société pour laquelle travaillait Winona Mapachee s'appelait Beav'Air, un jeu de mots sur la dénomination des trois avions utilisés par la compagnie : des Beaver DHC2 construits par De Havilland, indestructibles petits monomoteurs qui depuis le 16 août 1947, jour du premier envol, traversaient tous les ciels du monde, se montrant capables de s'adapter à la nature en chaussant selon les caprices des sols et des saisons, des flotteurs, des pneus, ou des patins.

En cette matinée de mai 1995, Noël Alexandre, le premier ministre de notre immeuble, me demanda si j'avais le temps d'aller, au nord de la ville, sur Gouin Est, pas loin de l'île du parc Saint-Joseph, chercher un ami qui devait se poser sur l'hydrobase aux alentours de midi.

L'emplacement n'avait rien d'enchanteur mais correspondait aux standards et aux types de services rustiques fournis par la compagnie. Une anse dans le cours de la rivière, une petite maison de bois pour abriter la rédaction des formalités, et de solides pontons pour faciliter la descente des passagers et assurer l'arrimage des appareils.

Avec le bruit caractéristique de son moteur Pratt et Whitney, l'avion se présenta en provenance du nord. Abaissant progressivement son altitude, il dépassa l'hydrobase, direction sud, puis vira à 180 degrés pour se présenter en ligne avec les eaux, déposer ses flotteurs et glisser vers la rive comme un gros palmipède qui s'accorde une pause. À bord, trois passagers, dont l'ami d'Alexandre, monsieur Nova, ses trois sacs de voyage, son chien crotté et son buisson de cannes à pêche. Tandis que j'essayais d'extirper tout ce matériel de la cabine, quelqu'un me dit : « Vous n'y arriverez pas comme ça. » C'était Winona Mapachee, pilote de l'appareil, qui s'empara de tout le fatras et l'empila en un ordre parfait sur le bord de la rive. Je la regardai vérifier les points d'arrimage de l'hydravion, ouvrir une trappe latérale, récupérer des cartes et une sacoche de cuir, puis s'éloigner dans sa combinaison bleu marine vers la cabane qui devait tenir lieu à la fois de siège social, de bureau d'escale, de salle d'enregistrement, de salle d'embarquement et de restaurant, grâce à son distributeur de barres de céréales et de muffins cellophanés.

« Ça va bien ? Le chien aussi ? Vos sacs sont là. Tout est réglé, vous pouvez y aller. » Le tout en moins de quinze secondes. Il ne faut généralement pas très longtemps pour deviner, dans une relation, à quel type de femme on a affaire. En l'espèce, dès les premières secondes, je compris que Winona Mapachee, Algonquine par son père, Irlandaise par sa mère, appartenait à la catégorie de celles qui vivent avec la conscience, à chaque seconde, de ce que la vie est beaucoup trop courte et précieuse pour accepter de la ralentir dans les files d'attente des problèmes subalternes.

La logique eût voulu que notre relation en restât là, au stade de ce débarquement express au cul d'un Beaver, en bordure de la rivière des Prairies, boulevard Gouin. Mais la vie, au hasard de ses jeux, a ses astuces pour rapprocher les êtres qu'elle a décidé de perdre. En l'occurrence, ce fut la distraction de l'ami de Noël Alexandre qui me ramena en un spectaculaire virement de bord vers celle qui allait devenir ma femme. C'était tout bête : Nova avait oublié tous ses papiers d'identité, ses moyens de paiement et son passeport dans une sacoche laissée à l'intérieur de sa cabane de pêche, à deux heures d'ici vers le nord, sur le lac de Sacacomie, près de Saint-Alexis-des-Monts. Et il était incapable de reprendre l'avion pour récupérer son bien, bloqué qu'il était par un fulgurant lumbago. Une nouvelle fois, Alexandre me demanda si j'aurais la grâce de jouer les pigeons voyageurs, et d'aller en Maskinongé récupérer ce qui devait l'être.

Winona vérifia mes sangles, lança le moteur, actionna quelques interrupteurs et nous éloigna lentement de la rive jusqu'à positionner l'avion au milieu de la rivière. La suite ne ressembla à rien de ce que je connaissais. Comme une oie sauvage qui s'envole, le Beaver appuya ses pattes sur la surface des eaux, puis au fur et à mesure qu'il gagnait en vitesse, s'extirpa doucement du courant pour s'élever dans le ciel, emporté par le fracas ordinaire de vibrations conçues dans les années 50. Dans ce temps de printemps, Winona volait à vue et rebondissait par instants sur d'invisibles turbulences. Elle possédait gravée dans sa mémoire toute la cartographie de ce territoire et, à l'image des grandes voiles de bernache tout à leur migration, s'orientait en suivant son instinct qui l'amenait toujours où elle devait se rendre. Soudain, le lac apparut comme un acteur qui entre en scène. Elle fit ses approches coutumières entre les îles qui le parsemaient, s'aligna sur le cœur d'une balise imaginaire, toucha l'eau du bout des pattes et glissa en douceur vers la rive. Lorsque le moteur cessa son vacarme on n'entendit que le clapotis de l'eau chantant sur le flanc des flotteurs.

Le ponton mobile, la cabane sommaire, la sacoche Nova, ses mille trésors, les bruits de la forêt, le vol des oiseaux, le sentiment d'être au bon endroit, au moment adéquat, le regard de Winona qui dit que c'est maintenant, ses mains qui glissent dans mes poches, le contact de ses doigts, les miens qui s'accrochent au miracle, la friction des vêtements, le froissement des corps, le claquement des peaux, le monde qui devient tout petit, le monde et toutes ses affaires, avec ses piscines pourries et ses moyens de paiement, le monde des Suisses et celui des Danois, tout ce monde dont je vérifiais chaque jour les colonnes d'extraction, tout ce monde-là disparut aussi longtemps qu'en nous dura la lumière, ce bref éclair illuminant la vie comme une fusée de détresse.

Winona avait une manière très directe de considérer et de traiter les choses. Après avoir enfilé sa combinaison et allumé une cigarette, elle m'a dit : « Quand je t'ai vu revenir ce matin à l'hydrobase j'ai pensé immédiatement : c'est avec cet homme-là que je vais finir ma vie. Maintenant on embarque. Referme bien la porte et n'oublie pas la sacoche. »

Winona mena le Beaver faire un petit tour sur l'eau, longea les îles à la manière d'un pagayeur sur son canoë, dérangea un petit congrès de loutres, quelques migrateurs fatigués, puis aligna son cap vers le sud, envoya un flot d'essence dans les gicleurs du bloc R985 Wasp Junior, et les 450 chevaux de son 9 cylindres en étoile transmirent leur puissance à l'hélice bipale Hamilton Standard qui se chargea de fileter patiemment la résistance de l'air pour nous ramener à Montréal, sacoche en main, cœurs en bandoulière.

Durant les onze années que dura notre drôle de mariage je ne pense pas avoir cessé d'aimer Winona Mapachee, ne serait-ce que le temps d'une respiration. Depuis cette journée au bord du lac, elle est devenue une part de ma chair, je la porte en moi, elle vit, pense, bouge dans mon cœur, et sa mort n'y a rien changé.

Quelques semaines plus tard, je suis allé voir Noël Alexandre pour lui dire qu'il avait modifié le cours de ma vie à deux reprises. En me confiant la garde de cet immeuble paquebot, d'abord ; et en m'offrant, plus tard, une sorte de voyage de noces en Beaver au bord du lac Sacacomie. « Vous êtes marié, Paul ? » Je l'étais. Enfin, tout dépendait du point de vue selon lequel on considérait notre union. Administrativement, Sa Majesté de Londres et son homologue parisien nous considéreraient sans doute comme de simples *concubini*, substantif latin que l'on peut traduire par « compagnons de lit », ce qui, en soi, n'était ni infamant ni totalement faux. Mais si l'on se plaçait, sous le regard du grand chef algonquin Tessouat de la tribu des Kichesipirini, il ne faisait aucun doute que, bien que mort depuis 1636, ce grand sage de la nation indienne nous déclarerait, Winona et moi, mari et femme. C'est exactement ce que m'avait expliqué ma concubine quand, au bout de quelque temps de vie commune, je lui avais demandé si elle souhaitait que l'on se marie : « Mais nous le sommes déjà. Chez les Algonquins, pas de contrat ni de serment sacré. On vit l'un avec l'autre et l'un pour l'autre. Quand on n'est plus satisfaits d'être ensemble, on se sépare. » Voilà comment, en quatre phrases économes, la reine d'Angleterre et sa *Common Law* furent réexpédiées vers les humidités de leur île.

Winona représentait à mes yeux le formidable condensé de deux mondes anciens. De sa mère irlandaise elle tenait cette force de brasser la terre à l'égal de la vie, déblayant les obstacles comme si chaque jour était à faire de ses propres mains. Joueuse, heureuse, d'une loyauté sans défaillance, elle avait de surcroît cette défiance héréditaire à l'endroit de l'Anglais. De sa part autochtone elle avait retenu cette capacité à s'intégrer dans le monde intangible, à faire corps avec lui, lisant les messages du vent, les rideaux de la pluie, écoutant grincer les arbres. Elle avait grandi dans le corridor des légendes, ces histoires édifiantes qui refaçonnaient l'origine des temps, qui disaient que les loups avaient appris aux hommes à parler, qu'ils leur avaient enseigné l'amour, le respect mutuel et l'art de vivre en société. Et aussi les ours. Et les caribous. Ils étaient nos ancêtres comme les aigles, et les arbres de la forêt, les herbes des prairies. Nous mangions tous cette même terre et, le moment venu, elle aussi nous mangerait.

En réalité, outre quelques lamelles de son cerveau profondément algonquines, Winona était aussi une femme pragmatique habitant le ventre des aéronefs et tâtant leur voilure dont il fallait tous les jours vérifier le squelette.

Lorsque chaque matin je regarde la photo de ma femme, je ne sais jamais si j'ai aimé une Irlandaise de Galway ou une squaw de Maniwaki. Comme les lumières sublimes de Skagen, ses traits pouvaient changer au fil des heures et l'une de ses origines prendre le pas sur l'autre. Au réveil, sa chevelure cuivrée et ses yeux transparents l'envoyaient d'office dans l'antichambre des Gaéliques mais aux heures du soir, les lumières rasantes révélaient l'empreinte des Indiens sur sa carnation, les traits de son visage, la fermeté de son regard. Je me pourléchais de cette ambivalence, vivant secrètement avec deux femmes en même temps, me consolant auprès de l'une quand la seconde me battait froid. Non, jamais une seconde, je n'ai cessé d'aimer Winona Mapachee.

Ma vie dans l'immeuble fut un temps perturbée quand elle décida de venir s'installer dans mon petit appartement. Nous manquions certes de place, mais cette proximité n'eut pour conséquence que de nous rapprocher encore davantage. Partir tôt, le matin, ausculter les bronches de *L'Excelsior* devint bien sûr plus difficile et rentrer tard, le soir après la dernière touche apportée à mes œuvres de factotum me parut souvent assez vain. Il est très difficile de s'occuper d'un immeuble et d'une femme en même temps, de choyer une vingtaine de veuves tout en cajolant une épouse. Les horaires de Winona variaient selon les saisons, comme pouvaient changer, à Montréal, ses terrains d'atterrissage selon qu'elle se posait sur ses flotteurs, ses roues ou, en hiver, ses patins. Nous formions un couple aux journées élastiques qui s'étiraient parfois au-delà de ce que nous aurions souhaité. Mais comme me l'avait appris et conseillé Kieran Read, je faisais tout mon possible pour que le jour de mes funérailles, Winona puisse, devant témoin, signifier à notre assureur, qu'au sein d'une « loyale sexualité familiale », elle n'avait eu à connaître que de « satisfaisantes et fréquentes relations ».

C'est durant les premières années de notre mariage que les choses ont commencé à changer à *L'Excelsior*. Sa population avait vieilli. Les retraités abordaient maintenant la dernière étape de leurs vies. Ils perdaient tout un tas de petites choses, oubliaient leurs clés, leurs affaires au bord de la piscine, s'inquiétaient de détails sans importance, et m'appelaient parfois le soir, croyant entendre des bruits bizarres dans leurs conduits de ventilation. Ils vieillissaient. Tous n'en mouraient pas, mais tous étaient atteints.

L'Excelsior entrait lentement dans un âge sombre. En 1997, juste avant Noël, j'ai vu Soraya Engelbrecht, une propriétaire âgée vivant au cinquième étage, arriver dans le hall, vers 22 heures, en chemise de nuit et s'asseoir sur un fauteuil du salon d'accueil. Dehors le froid glaçait les flocons de neige à mesure qu'ils tombaient. Je finissais d'installer dans l'entrée les décorations et les luminaires de fin d'année, tradition vivace à laquelle tenaient les propriétaires. J'ai abandonné mon travail et je suis allé voir la vieille dame. Elle m'a regardé avec bienveillance et douceur mais j'ai bien compris qu'elle ne me reconnaissait pas. J'ai glissé ma veste sur ses épaules. « C'est moi, Paul. Je vais vous aider à rentrer chez vous. Vous ne pouvez pas rester ici, vous allez attraper froid. Venez, je vous raccompagne, on y va tous les deux. » La porte de l'appartement était fermée, j'ouvris avec mon passe. Madame Engelbrecht me considéra comme si j'étais un magicien puis, me reconnaissant soudain, elle me remercia et s'excusa. « Je suis désolée, Paul. Je suis désolée pour tout ça. Je suis fatiguée en ce moment. » Nous fîmes les quelques pas qui la séparaient de son lit, elle s'allongea et ferma les yeux presque aussitôt. Je remontai sa couette, éteignis la lumière, et restai un moment auprès d'elle, dans le noir.

Soraya Engelbrecht disait n'avoir plus de famille et je ne savais qui prévenir pour lui venir en aide. Une semaine plus tard, toujours en début de nuit, et tandis que j'attendais Winona en regardant par la baie vitrée, j'aperçus la vieille dame traverser la rue, pieds nus, vêtue d'une robe légère, et s'asseoir sur le banc de l'arrêt de bus. Il devait faire moins dix degrés et le sol était verglacé. Lorsqu'elle m'aperçut, elle fit un effort pour se lever et me tendit la main. « C'est affreux, Paul, je crois que William est mort. Je crois que mon mari vient de mourir. » Je pris madame Engelbrecht dans mes bras et la portai jusqu'à l'entrée de *L'Excelsior*. Elle était aussi légère qu'une enfant. Je la reconduisis à son appartement et restai près d'elle jusqu'à ce qu'elle s'endorme. Elle était veuve depuis une dizaine d'années. Son mari s'était appelé Frederic-Edward.

Cet épisode éprouvant en annonçait bien d'autres. Au fil des années suivantes, ce nouveau travail d'auxiliaire de vie prit lentement le pas sur mes activités d'entretien domestique. Averti de l'état de madame Engelbrecht, Noël Alexandre contacta le bureau de l'aide sociale qui, sur avis médical, plaça Soraya en établissement spécialisé. J'avais préparé quelques affaires pour qu'elle ne manque de rien dans sa nouvelle maison, et, à l'instant de partir, elle me fit promettre de passer de temps en temps chez elle pour arroser ses plantes. Lorsque le personnel médical vint la chercher, je l'accompagnai jusqu'à l'ambulance. Puis je remontai à l'appartement fermer ce qui devait l'être et claquer la porte sur tout ce qu'avait été sa vie.

Heureusement, le soir je retrouvai Winona. Intacte de sa journée, gorgée d'ions négatifs, ces anions qui lessivent l'âme, tonifiée par toute cette beauté accumulée, ces paysages immortels à cent lieues de la vieillesse et des hospices, à mille lieues de mon petit monde de six étages en déclin. Dans la langue de ses ancêtres, Winona signifie « fille première née ». Plus que jamais, pour moi, Winona était surtout unique.

La fin de ces années 90 reste dans ma mémoire comme une période d'exode, de départs de nombreux propriétaires, une quinzaine au moins, qui n'avaient plus assez de ressources physiques ou morales pour assumer leur solitude malgré les soins apportés à la pelouse, aux massifs, la douceur et la tiédeur des eaux du bassin, l'efficience de toutes les machineries et la disponibilité du factotum. Souvent je fis des courses pour l'un, des visites à la pharmacie pour l'autre, tout en veillant sur mon dernier carré de veuves, accrochées à la vie du bout de leurs ongles vernis. Je savais que tout cela allait craquer d'un jour à l'autre, mais quand leur évier fuyait ou qu'il fallait changer leur hotte aspirante, je montais quatre à quatre faire le travail, les rassurer, leur dire que j'étais là. Après tout ce temps passé dans cette grande maison, je me rendais compte que je tenais à tous ces gens, et que d'une certaine manière, à ma façon, je les aimais.

Juste avant les ténèbres

Depuis son entretien avec le directeur, Patrick Horton n'est plus le même. Il semble davantage concerné par les affaires du monde qui l'entoure et notamment, ce matin, par la façon dont les banques se sont accordées pour ravager notre avenir. « Putain, t'as vu ça ? L'histoire des *subprimes* qui continue. Ils viennent de faire un premier bilan de ce qu'ont coûté ces conneries. Tu sais combien ils se sont fait siphonner, les retraités américains, avec leurs trucs de pension ? Vas-y, dis, pour voir. Allez, dis un chiffre, merde. T'es sacrément loin du compte, mon pote. 2 000 milliards de dollars. Je sais même pas combien il faut de zéros après le deux pour tomber juste. 2 000 milliards, et ça, c'est que pour les US. T'imagines dans le monde ? Sans déconner. Tu mets une claque à un fils de pute qui vraiment la mérite, tu vas direct au trou pour deux ans. Les autres, ils te ratissent le casino, filent le monde au tapis et après, ils s'arrachent tranquille à Acapulco où ils s'aspirent des putains de lignes. Ma mère avait des ronds dans ce bastringue, pas des masses, mais pour elle ça devait compter. Le mec de la banque lui a dit que tout était parti dans la lessiveuse. Que tout le monde y était passé et qu'il arrêtait pas de répéter la même chose à longueur de journées. La lessiveuse. T'avais des trucs dans la laveuse, toi ? »

Rien, Patrick. Je n'avais jamais placé le moindre dollar dans ces machines à sous. Winona et moi vivions au jour le jour. C'était nous qui travaillions, pas notre argent. Et ce que nous ne dépensions pas dormait du sommeil du juste à la Banque de Montréal de la rue Saint-Jacques.

« Tu saurais calculer combien ça fait de Harley, toi, 2 000 milliards, si je te trouve le tarif exact d'une Fat Boy ? » Malgré son tout nouvel intérêt pour l'univers dont il a décidé de faire désormais partie, il arrive un moment chez Patrick où la fiction finit par rattraper et bousculer la réalité. « Sur le truc du calcul, l'opération, tout ça, je crois que je saurais m'en sortir, mais avec les zéros, c'est sûr, je vais m'embrouiller. » Pour Patrick, le monde, avec ses crises et ses malheurs, se comprenait, s'interprétait, et s'étalonnait toujours à partir de la seule valeur stable de référence sur terre, la Harley « Fat Boy ».

« Tu sais, quand je lis des trucs comme ça, sur l'histoire des banques et tout le merdier qu'il y a autour, je me dis souvent qu'il y a tellement de choses que je comprends pas dans tous ces machins d'économie, de politique, que c'est pas la peine que j'insiste, j'ai pris trop de retard. D'autres fois, c'est le contraire, j'essaye de m'accrocher, de me dire que plus je sais de trucs, moins ils pourront me la faire à l'envers, pour voter, ou pour placer mon argent. D'un autre côté, en ce moment le problème est réglé, j'ai pas un radis. »

C'est vers la fin de l'été 1999 que je fus appelé au bord de la piscine de *L'Excelsior*. Noël Alexandre venait d'y faire un malaise. Il était allongé par terre, ses yeux semblaient rechercher un visage, un point d'accroche sur lequel se fixer. Je pris sa main dans la mienne et lui dis toutes ces choses inutiles qui viennent à l'esprit quand le malheur vous surprend en plein travail alors que vous cherchiez l'embout d'accouplement de la clé à cliquets.

Je partis avec lui dans l'ambulance, sans jamais lâcher cette main qu'il m'avait tant de fois tendue.

Je ne revins à l'immeuble qu'à la tombée de la nuit. Il n'y avait plus personne au bord de la piscine, la porte du local technique était encore ouverte, l'embout toujours en attente d'accouplement sur la clé à cliquets.

À l'appartement, Winona était rentrée. Sur le canapé, couchée à ses côtés, une petite chienne au pelage blanc dormait roulée en boule. « Je l'ai trouvée cette après-midi, abandonnée au bord du lac Manitou du côté de Sainte-Agathe-des-Monts. Elle était affamée et elle a un abcès à une patte. Elle doit avoir six ou sept mois. On va la garder. On dirait une petite louve. » Nouk ne fut ni louve ni chienne d'apparat, mais un merveilleux animal, subtil, curieux de découvrir et d'apprendre le monde, attentif à nos peines devinées avant même d'être ressenties. La chienne devint très vite une part indissociable de notre vie, où elle s'intégra avec une aisance stupéfiante, sautant dans le Beaver lorsqu'il s'agissait de livrer un pêcheur à ses poissons, ou courant à mes côtés dans le parc Ahuntsic, quand après une belle tombée de neige, elle se roulait dans la poudreuse jusqu'à ce que son poil, imprégné, gorgé de ce cadeau de l'hiver, l'encombre et qu'elle s'ébroue en dispersant à la volée cette nuée de flocons dans l'air glacé.

Nouk mangeait avec nous, regardait un film avec nous et dormait à nos côtés après avoir tourné quatre ou cinq fois sur elle-même, ainsi que le lui avaient appris ses ancêtres, soumis aux règles de l'espèce et aux lois de la forêt.

Le soir, tandis que nous attendions le retour de Winona, Nouk venait tout près de moi et glissait son museau entre mon bras et mes côtes flottantes. Et dans ce repaire sombre où rien ne pouvait arriver, qu'elle seule connaissait, elle me faisait comprendre tout un tas de choses que les hommes ont souvent beaucoup de mal à dire. Parfois elle entrouvrait un œil vers moi, juste pour me prévenir que maintenant, elle allait se taire et faire un petit somme. Il y avait tellement de conscience et de loyauté dans ce petit animal qu'au fil du temps je pris l'habitude de m'adresser à lui exactement comme à un humain, lui faisant partager le rythme et l'encombrement de mes journées. Et le plus étonnant, c'est que cela n'avait rien d'incongru. Je débloquais dans mon coin et Nouk m'écoutait et à sa façon me comprenait. L'effort qu'elle avait sans doute consenti pour décrypter le sabir des hommes, je le fis à mon tour pour déchiffrer toutes ses sortes d'aboiements et lire son langage corporel. Comme en toute chose, passé le temps d'apprentissage, je parvins à un résultat assez satisfaisant qui nous permit de traiter des choses essentielles de la vie courante, puisque nous parlions maintenant la même langue. Elle lisait en moi à livre ouvert, j'étais attentif à elle, multipliant les gestes de tendresse comme on le fait naturellement quand on aime quelqu'un.

Noël Alexandre revint à *L'Excelsior* une dizaine de jours après son hospitalisation. Ce que l'ambulance nous restitua n'était plus qu'une fragile enveloppe à l'intérieur de laquelle on avait glissé un peu de vie. De son visage tavelé, amaigri, on voyait maintenant saillir l'ossature des pommettes, les crans des mâchoires, l'arc des planchers orbitaux. Ses tempes étaient creusées et, sur la peau de son cou, c'est à peine si l'on devinait les faibles pulsations de son cœur.

Noël Alexandre avait été renvoyé à *L'Excelsior* pour y mourir.

J'avais installé son lit médicalisé et sa perfusion face à la baie vitrée à travers laquelle semblaient vouloir entrer les hautes branches des érables. Des infirmiers passaient trois fois par jour pour prodiguer leurs soins, et j'étais, nuit et jour, relié à Noël par un invisible fil, qui devait autant aux miracles de l'électronique qu'à ceux de l'affection. Il lui suffisait d'appuyer sur un petit bouton d'alerte qu'il gardait au creux de sa main pour que j'abandonne tous mes travaux de maintenance.

L'alarme retentit à plusieurs reprises et je parvins à chaque fois à lui bricoler l'illusion d'un léger mieux.

Et puis un jour elle ne sonna plus.

Durant toutes ces années, le Président comme je l'appelais, était parvenu à donner une âme et un esprit à ce bâtiment qui avait fini par lui ressembler, offrant à chacun un climat bienveillant, protecteur et libéral. Par sa seule attitude, par son courage quand cela avait été nécessaire, Noël Alexandre avait réussi l'exploit de réguler les hormones de soixante-sept autres propriétaires, souvent animés de désirs et de sentiments antagonistes, convainquant chacun de faire preuve de respect et de tolérance envers les autres. Usant de son savoir-faire et de ses recettes de sage, il avait intelligemment mené notre maison, et ce jusqu'au terme de son mandat.

Juste avant la fin du millénaire, quelques mois avant le reste du monde, nous avions basculé dans une autre époque dont nous ne savions évidemment rien, mais dont ce petit quelque chose qui flottait dans l'air nous donnait à croire qu'en bien des points, elle serait moins noble, moins douce et moins riche que la précédente.

À la toute fin de l'année, le 30 décembre, eut lieu l'assemblée générale des copropriétaires avec l'exposé des bilans et surtout, en fin de séance, l'élection du nouveau président administrateur. Kieran Read inclus, la totalité des résidents assistait à la réunion et participa au vote. Trois candidats. Louis Angelin, représentant de la vieille école, petit duc du troisième, attentif aux coûts de la piscine, intransigeant sur l'entretien des pelouses, botaniste manqué, chiant comme la pluie. Edouard Sedgwick, *made in* Nouvelle-Angleterre, nouvel arrivant, nouvelle école, nouvelle voiture, nouvelle femme, et apparemment nouvelle vie, puisque ancien résident du chic Outremont, aujourd'hui déclassé au cinquième étage d'un condo d'Ahuntsic. Sa première demande le jour de son installation : le compte rendu du dernier conseil d'administration. Et enfin Madeleine Brigg, sociétaire enviée du club du dernier étage, une soixantaine d'années reconditionnée, un humour dévastateur, une femme délicieuse, imprévisible, ayant quand même ses têtes et ses jours, responsable du département Collection au MAC, le musée d'Art contemporain de Montréal. A toujours trouvé l'immeuble trop triste. Rêverait d'installer des sculptures de Tinguely un peu partout dans le jardin. Décalée, absolument incapable de gérer un immeuble comme *L'Excelsior* mais, quand même, formidable à vivre tous les jours.

Chaque candidat disposait d'une quinzaine de minutes pour exposer brièvement le sort qu'il réserverait à l'immeuble. Sans surprise, Angelin glosa sur les semences et les engrais de gazon, la végétalisation des parties communes du rez-de-chaussée, de l'entrée, sans oublier la surveillance des coûts de chauffe et d'entretien du bassin. Brigg nous fit un bref cours d'histoire de l'art sur les « machines, le mouvement et le bruit » et nous fit partager son enthousiasme pour un environnement plus stimulant, avec un jardin piqueté, évidemment, d'engins de Tinguely (1925-1991). Ou faute de mieux, puisque les moyens nous feraient toujours défaut, d'œuvres de jeunes sculpteurs canadiens qui pourraient être acquises par l'immeuble, et dont les montants seraient potentiellement défiscalisés. Quelqu'un dit : « Mais on ne paye pas d'impôts, nous ne faisons aucun bénéfice. » Brigg balaya l'argument d'un coup de menton dubitatif et se rassit.

Avant même qu'il n'ouvre la bouche, qu'une seule parole soit prononcée, je sus qu'il serait l'élu. Tout l'attirail d'un gommeux. L'archétype du fourbe cauteleux, du chacal sournois. Avec ce savoir-faire des temps modernes, mélange de familiarité et d'arrogance, de technicité et de mépris, Edouard Sedgwick était bien notre homme, fervente crapule que Nouk et moi reniflions à cent pas, se présentant comme « le garant du bien-être de tous, résolu à veiller scrupuleusement sur tous les postes de dépenses pour que chaque dollar dépensé le soit à bon escient, et pour que cet immeuble, rénové dans sa gestion, demeure notre maison commune. » Amen.

La campagne gazonnée d'Angelin remporta 14 voix, récoltées essentiellement dans les grandes plaines des Anciens, sans doute attachés à la nostalgique verdeur de leurs jeunes années. Brigg récolta 7 suffrages dont le mien, celui de Read et ceux de cinq autres votants convaincus que tant qu'à disparaître, autant partir en beauté. Quant à Sedgwick, avec ses clichés misérables, son sermon de syndic, il ramassa tout le reste, moins une abstention, soit 46 voix subtilisées d'une façon à la fois consternante et quasi magique par un faiseur qui s'était procuré le lapin et le chapeau qui va avec. 46 voix qui jetaient 46 poignées de terre sur la tombe de Noël Alexandre. 46 voix croquées par un homme sorti de nulle part, que personne ne connaissait un mois plus tôt. 46 voix qui allaient me rendre la vie de plus en plus difficile. 46 voix que j'avais, un jour, aidées ou dépannées.

Un plébiscite pour les temps nouveaux.

Les années 2000 et le monde qui allait avec appartenaient maintenant à Edouard Sedgwick.

Heureusement, Winona et Nouk me sortaient parfois de cet univers dans lequel je vivais enfermé depuis trop longtemps. Le Beaver nous emmenait parfois passer un week-end dans une pourvoirie au bord du lac Saint-Jean. J'adorais ces voyages dans le vacarme de la vieille carlingue submergée par les échappements libres de son moteur. J'avais confectionné une sorte de petit casque souple qui isolait phoniquement les oreilles de Nouk. Au début, elle avait détesté cet accessoire avant de s'en accommoder. J'aurais aimé que ces flâneries aériennes durent des siècles pour avoir le temps de tout voir d'en haut, les arbres et les eaux, les terres et les animaux. On avait l'impression de vivre au-dessus d'un monde sans fin, qui déroulait à l'infini le catalogue de ses beautés. Tout était vaste, le ciel, l'eau, les forêts dont on devinait qu'elles grouillaient d'une invisible vie sauvage que nous avions un jour quittée pour vivre dans des maisons de six niveaux, équipées d'interphones, et d'un petit lac artificiel où personne ne venait jamais boire. Nous vivions et marchions en bordure de ces eaux artificielles sans laisser la moindre empreinte, si ce n'est sur les claviers de nos digicodes.

Ce que je voyais de cet avion n'appartenait à personne, ni à un homme ni même à deux. Et qu'en aurait fait un pays ? C'était un monde où l'on ne trouvait ni reine ni syndic. Une couronne où 46 voix, ici, ne valaient rien, ne donnaient rien, ne préservaient de rien. Avec 46 voix, on ne mangeait pas, on ne se sauvait pas. Avec 46 voix, on attirait les ours, on appâtait les loups, ou on mourait simplement de froid.

Dans le Beaver le bruit était tel que les écouteurs n'étaient pratiquement d'aucun secours, si bien que Winona et moi avions pris l'habitude de converser par signes. Quand elle inclinait ses doigts vers le bas, je savais que nous allions descendre et bientôt nous poser. C'était le seul moment de nos voyages que je redoutais. L'instant où les flotteurs toucheraient l'eau. Malgré leur dessin, les explications aérodynamiques que me distillait ma femme, j'avais toujours la crainte que l'un de ces appendices, à l'identique des voiliers, n'enfourche, et, catapulté par la vitesse, ne s'enfonce tête la première, faisant basculer toute l'embarcation cul par-dessus tête. C'est pourquoi, avant de toucher la surface du lac, je prenais toujours Nouk sur mes genoux et la serrais contre moi jusqu'à ce que l'avion me confirme notre survie et la garantie de sa bonne glisse.

Dans un magazine spécialisé j'avais lu un dossier inquiétant, une étude complète qui vantait la solidité et les aptitudes multiples de cet appareil, mais qui mettait aussi en garde le pilote sur le fait qu'à « faible allure, incliné et à pleine charge, le Beaver a la réputation d'être parfois traître et aucun signe avant-coureur ne prévient de l'imminence d'un décrochage. La culbute est généralement soudaine et, à basse altitude, la récupération est réputée hasardeuse, voire fatale dans certains cas ».

Quand j'avais montré cet article à Winona elle avait simplement dit : « Je sais tout ça. Tout le monde sait ça depuis 1946. Mais tu vois, eux ils écrivent une fois sur le Beaver, moi, je m'en sers tous les jours. Et puis, de toute façon, j'ai toujours l'oiseau-mouche avec moi. »

L'oiseau-mouche était un porte-clés dont Winona ne se séparait jamais. Elle considérait ce petit oiseau de métal comme une sorte d'ange gardien capable de remettre un Beaver sur le droit chemin. Ma femme avait une fascination totale pour cet oiseau, mythique dans toute l'Amérique du Sud, annonciateur de mille nouvelles parfois contradictoires, vecteur de bonheur et de prospérité chez les Taïnos, mais aussi, au Brésil, télégraphiste de la mort s'il pénétrait dans une maison.

Ce minuscule volatile est de toute façon une énigme de la nature, une machine infernale conçue par un aérodynamicien farceur doublé d'un anatomiste malicieux. Cet animal de 5 ou 6 centimètres possède un cœur qui bat 1 260 fois en une minute et des poumons qui respirent 500 fois durant le même laps de temps. Ses ailes peuvent pivoter dans tous les sens, lui permettant de voler aussi vite en avant qu'en arrière, en haut qu'en bas, et d'atteindre les 100 kilomètres à l'heure dans d'invraisemblables positions. Ses ailes battent 200 fois par seconde et emprisonnent en permanence des bulles d'air, fabriquant des vortex à la demande. En outre, cet oiseau demeure le grand spécialiste du vol statique, de la cabriole, et possède 6 590 000 globules rouges unité par millimètre cube. Il peut également déplacer ses quelques grammes sur 800 kilomètres, doit manger huit fois par jour, et, avant de s'endormir, descendre sa température de 10 degrés tout en réduisant la violence de son rythme cardiaque à 50 pulsations par minute. Voilà l'animal infernal auquel ma femme confiait sa vie et son destin. Voilà l'oiseau de 3 grammes chargé de se substituer au décrochage intempestif d'un vieux Beaver pataud de deux tonnes et demie. Aussi, chaque fois que je voyais le porte-clés de Winona, je pensais à mon père qui, après avoir entendu ma femme lui confier sa croyance, en aurait conclu que l'acte de foi d'une Indienne, quotidiennement éprouvé dans le fracas du ciel, était une leçon édifiante pour un pasteur à jumelles.

Depuis sa visite chez le directeur, Patrick ne rêve que d'une chose : y revenir. Il y a quelques jours il a fait une demande en ce sens au chef surveillant, mais sa démarche n'a pas eu de suite. Il avait apparemment une idée derrière la tête. Alors il s'est mis à sa table et a adressé un courrier à Sauvage. Il a chiffonné quelques feuilles avant de parvenir au résultat qui lui convenait. Puis, glissant son petit mystère dans une enveloppe, il l'a confié à un gardien pour qu'il le porte au destinataire. Quatre jours plus tard il a reçu une réponse. Un grand pli à l'intérieur duquel se trouvait exactement ce qu'il avait demandé. « Putain, Sauvage, c'est un duc. Sans déconner, ce mec il est géant. Tu imagines, je lui envoie un mot pour lui demander si ça serait possible de me procurer le dernier catalogue pièces et accessoires de chez Harley. Total, il m'envoie ça : le catalogue pièces et accessoires de l'année. Ça veut dire que ce mec en sortant de son taf, il est allé chercher le truc pour moi. Putain il sort du séminaire, c'est pas possible autrement. Je vais lui faire un mot de remerciement. » Il se mit à sa table et commença une lettre qui l'occupa bien pendant une bonne heure. « Pour commencer je mets "Cher Manu" ou "Cher monsieur Sauvage" ? Et alors quoi, entre bikers, y a pas de différences, y a pas de taulards ni de matons, on est tous pareils, on a tous la même devise gravée sur le carter des bécanes *Live to ride, Ride to live*. Manu je trouve que c'est plus sympa, plus Harley. Cher Monsieur, ça coince, ça fait mec qui t'envoie la note d'électricité. On a quand même parlé un bon moment tous les deux. T'aurais vu sa gueule quand il me racontait son Heritage, tu comprendrais que c'est évidemment plus un "Manu" qu'un "Monsieur". Alors, aide-moi, merde, Manu ou Monsieur ? »

J'ai réussi à le convaincre que le dernier intitulé était sans doute moins *Cubic inch* mais qu'il avait l'avantage d'être plus conventionnel. Et qu'en outre, offrant l'assurance de ne pas choquer son destinataire, il laissait la porte ouverte à une autre demande. Ce dernier argument fit basculer l'affaire : « Putain t'es un vrai diable, toi, t'es comme les mecs des échecs qui calculent avec dix-sept coups d'avance. T'as raison. Cher Monsieur Sauvage, c'est bien. » Patrick ne m'a pas demandé de superviser le contenu du courrier mais je crains que la nature du biker ne reprenne le dessus et qu'un tutoiement intempestif ou un « putain de » pris dans son acception laudative ne vienne un peu ruiner ses efforts de maintien.

Maintenant que la lettre de remerciements est partie vers son destinataire, Patrick feuillette ligne à ligne son catalogue, il le déguste, en savoure chaque parcelle. On devine qu'il installe mentalement, les uns après les autres, tous ces accessoires sur sa « Fat Boy », juge de l'effet produit, puis redémonte l'ustensile pour tenter autre chose, une autre variante esthétique ou mécanique, des sacoches cuir ou un nouvel échappement, le guidon corne-de-buffle ou les supports de pieds façon lounge. En ce moment, je sais qu'il est à l'intérieur de son coffre-fort mental, verrouillé, bouclé à double tour, inaccessible et heureux comme il l'est rarement, seul, infiniment, sans père, ni mémoire, sans casier judiciaire, vierge de tout et vide du reste, juste destiné à vivre pour faire de la moto ou à la rigueur « faire de la moto pour vivre ».

Je n'ai pas ce genre de prairie mentale pour laisser filer et courir mes idées. Je suis totalement prisonnier. Enfermé. Cet endroit me possède et chaque jour m'écorche. Certes, j'ai mes visites. Mais certains jours, les morts sont comme nous, ils ont le mal de vivre. Aujourd'hui, Nouk n'est pas venue, ni mon père. Winona a fait un saut. Elle n'avait sur elle ni les clés de la maison ni le colibri d'acier. Pas trop envie de parler non plus. Cette fois, son visage était tellement irlandais qu'il se confondait avec les embruns de l'océan de Galway et l'odeur du fleuve Corrib. Je me souviens qu'une fois, à Toulouse, pour je ne sais quelle occasion, mon père avait fait une prédication à partir de la tourbe irlandaise, assimilant cette matière organique fossile à je ne sais quelle substance qui stratifiait nos vies. Il était parfois difficile de suivre mon père dans le dédale de ses assimilations mystiques.

Dans quatre heures il fera nuit. J'espère trouver rapidement le sommeil, ce petit orifice cérébral dans lequel je dois me glisser pour m'évader quelques heures. Lorsque je n'y parviens pas, que je ne distingue pas l'issue, je prends un peu de Lorazepam qui, avec un excipient à base de lactose, se charge de régler l'affaire.

De temps en temps, j'entends le bruit d'une page que l'on tourne. Alors, je sais que Patrick est heureux.

L'installation de Winona dans mon appartement n'avait pas vraiment modifié les habitudes de Kieran Read. Désormais, lorsqu'il éprouvait le besoin de se confier, il venait simplement me visiter un peu plus tôt et nous passions nos mondes en revue. Il avait très mal vécu l'élection de Sedgwick qu'il tenait pour un type sans foi ni loi. « Il s'exprime comme une brochure de conseiller fiscal et je sens qu'il va mettre cet immeuble sens dessus dessous. Je connais bien ce genre de type, j'en côtoie tous les jours. Les *cost killers*. Ils vivent avec des tableaux Excel dans la tête et sont en train de foutre le bordel partout. Méfiez-vous de lui, Paul. En tant que surintendant qui gérez des budgets, c'est vous qui allez être en première ligne. Vous allez toujours l'avoir sur le dos, à tout recompter, tout vérifier. »

Et puis Winona est entrée, Nouk lui a témoigné sa joie de la revoir, et Kieran Read, plus *casualties adjuster* que jamais, a fait mine de quitter la scène avec si peu d'ardeur que Winona lui a proposé de rester dîner avec nous. Son visage a alors rayonné de bonheur et de gratitude comme celui d'un homme sauvé, *in extremis*, d'une soirée en tête à tête avec lui-même.

Ma femme semblait captivée par les tranches d'humanité qu'il faisait défiler, à table, devant nous, tout en nous faisant partager le catalogue de ses observations. « Mon métier offre un énorme avantage. Il ouvre une porte sur les arrière-cours de notre monde, ces endroits où se traite le prix d'un homme, où l'on marchande sa valeur, où tout se monnaye, tout se paye et où l'on appelle, en cour, des causes que l'on ne devrait jamais avoir à connaître, des histoires dont on a parfois du mal à croire qu'elles aient pu exister. J'ai travaillé, à l'époque, dans l'affaire des Ford Pinto, je ne sais pas si vous vous souvenez de cette histoire. Dans les années 70, Ford fabriqua cette "compacte" qui ne ressemblait pas à grand-chose, et s'aperçut très vite qu'elle avait un défaut majeur de construction. En raison de la finesse extrême du métal du réservoir d'essence, ces voitures prenaient facilement feu si elles étaient percutées par l'arrière. Il y eut 180 morts, tous calcinés dans leur véhicule, 180 blessés gravement brûlés et 7 000 automobiles carbonisées. Confronté à ce problème structurel, l'état-major de la compagnie demanda une étude à ses bureaux pour évaluer le coût des modifications nécessaires. La réponse des analystes, contenue dans un rapport baptisé « Pinto Memo-Coût/Avantage », ne tarda pas : l'indemnisation des familles de victimes était très largement inférieure aux sommes qu'il faudrait engager pour organiser un rappel de toutes les Pinto et remplacer les réservoirs fautifs. Ford rangea donc ce rapport dans ses oubliettes, et ses clients continuèrent à partir en fumée dans leur Pinto. Jusqu'à ce qu'un jour le scandale pousse la firme à révéler les paramètres de ses calculs et de ses choix coupables. Ford sortit alors son chéquier et régla l'affaire en octroyant 200 000 $ à chaque victime, 67 000 $ aux brûlés, et 700 $ par véhicule détruit.

L'affaire Pinto n'est jamais que la toute petite partie visible de ce continent du négoce, cet infra-monde où la vie des hommes réels, bien tangibles, se calcule sur la base de ratios exclusivement comptables. Je me souviens qu'il y a quelques années, un amendement, traitant de ces questions, avait été proposé au Sénat américain. Il expliquait, entre autres, qu'utiliser les dollars pour déterminer la valeur d'une vie, lorsqu'il faut statuer, est une "offense profonde aux religions, aux croyances éthiques, aux morales communes des gens de ce pays". Il était aussi mentionné que l'utilisation de critères raciaux, de facteurs prenant en compte les revenus, la maladie, l'âge ou l'invalidité, devait être également bannie. Après être sans doute passé au laminoir du lobby des compagnies d'assurances, l'amendement fut évidemment rejeté et déchiqueté dans le broyeur. J'imagine, Paul, que vous allez me dire que le parallèle n'est pas évident et que je suis de mauvaise foi, mais un type comme Sedgwick, et je suis très sérieux, aurait parfaitement pu rédiger le "Pinto/Memo". »

Depuis longtemps, Nouk avait fourré son museau dans le creux de mon bras pour me raconter une nouvelle fois, à sa façon, le jour où l'étrange oiseau à moteur avait posé ses pattes sur l'eau de son lac, où une femme indienne aux faux airs d'Irlandaise en était descendue, avait marché vers elle, lui avait tendu la main, donné à manger quelques biscuits, et s'était assise à ses côtés alors qu'elle tremblait encore de crainte, de fatigue et de fièvre, où elle avait examiné sa blessure, l'avait caressée un moment, soulevée dans ses bras puis installée auprès d'elle dans l'avion.

À ce point de l'histoire, Nouk sortit, un instant, son museau de son étui protecteur et douillet, me regarda, et je suis sûr de l'avoir entendue me dire : « Ensuite, j'étais tellement épuisée que, malgré le bruit du moteur, je me suis endormie. »

Read rendit grâce au menu et remercia Winona de lui avoir offert une vraie soirée « en famille ». Je comprenais bien ce que l'*adjuster* voulait dire mais l'éclosion subite de ce nouveau foyer et l'annonce de cette nouvelle parenté me semblèrent un peu prématurées.

À l'intérieur d'un immeuble ou d'une communauté, le malheur s'installe généralement par période. Pendant plusieurs mois il va rôder dans les étages, œuvrant de porte en porte, croquant d'abord le faible, ruinant les espérants. Et puis, un jour, changer de rue, de quartier, poursuivant à l'aveugle son travail d'artisan. Chez nous, la séquence a duré près d'une année. Vers la fin de 2002, toutes sortes de plaies ont commencé à s'abattre sur *L'Excelsior*, ses machines, ses arbres et ses hommes.

Tout a commencé avec la grande tempête de glace qui a paralysé la ville pendant une dizaine de jours. Sous le poids des pluies verglaçantes, tout avait cédé : les pylônes, les câbles électriques, les fils téléphoniques, les transformateurs avaient sauté les uns après les autres et un pays tout entier était entré dans la nuit. Privés de chauffage, les appartements sont vite devenus des chambres froides. Les résidents tentaient de se réchauffer dans leurs salles de bains en restant à proximité de leurs baignoires remplies d'eau brûlante. L'immeuble était alimenté par deux sources d'énergie. L'électricité pour le chauffage proprement dit, et le gaz pour le système général de production d'eau chaude. Vêtus de manteaux et de couvertures, pareils à des manants, les propriétaires déambulaient dans les couloirs et les espaces communs, en quête d'information et d'un peu de réconfort. Privés d'ascenseurs, les plus âgés demeuraient chez eux et je m'arrangeais pour leur porter de quoi boire et se nourrir. Les plus ardents essayaient de se rendre à leur travail, bravant un monde glacé décoré de stalactites de verglas qui s'écoulaient des arbres. Tout était devenu irréel. Et le soir, la nuit était noire. Partout. Comme si la vie avait éteint sa lumière. Parfois on entendait une branche craquer et s'affaler dans un fracas de glace brisée. Incapable de résister plus longtemps à son manteau de givre, le grand bouleau jaune du jardin commença à ployer, puis s'ouvrit en deux comme frappé en son milieu par une hache céleste. Au bout d'une semaine accablante, la lumière revint peu à peu dans le quartier. Des halos d'espérance sortaient çà et là des glaces. *L'Excelsior*, lui, restait plongé dans les ténèbres. Je passais mes journées en allées et venues au marché pour approvisionner mes veuves et les plus âgés des résidents. Tout cela se faisait à pied, sur des trottoirs et des rues lustrés comme des patinoires. Les paquets, les escaliers, monter, descendre, expliquer que je ne peux rien faire, le réexpliquer, débloquer la porte d'entrée, sabler les allées du garage et les abords du hall d'accueil, désactiver tous les systèmes électriques et électroniques, dégivrer tout ce qui peut l'être, tronçonner les branches du bouleau. Veiller sur Winona dont l'avion ne pouvait plus voler, et réchauffer Nouk qui semblait se demander ce qui se passait chez les hommes blancs.

Je pense que, dans le quartier d'Ahuntsic, nous fûmes l'un des derniers immeubles à être réalimentés. Et un matin, les portes des ascenseurs s'ouvrirent à nouveau, les baignoires se vidèrent, les lumières jaillirent, les extracteurs recommencèrent à extraire. Gaine après gaine, le flux se faufila dans les prises et la vie se réinstalla dans son cocon de 21 degrés décrétés par l'assemblée des copropriétaires comme étant la température idoine pour le confort de l'espèce.

La tempête avait engendré dégâts et désagréments, mais elle avait aussi affaibli les organismes. En moins d'une semaine, quatre ambulances s'arrêtèrent à notre hall pour conduire à l'hôpital deux veuves atteintes chacune d'une double pneumonie, un sexagénaire du troisième pour une suspicion d'infarctus, et monsieur Sibelius – délicieux personnage âgé mais sans âge, surgi d'un siècle indéfinissable, nageur impénitent, me complimentant, chaque fois que nous nous croisions, sur la « texture » de l'eau de la piscine – qui, lui, se fractura le col du fémur en chutant sur le ruban de glace du trottoir d'en face. Durant cette période qui fut, pour moi aussi, assez éprouvante, je n'aperçus en aucun lieu de notre maison la silhouette, même fugace, de notre administrateur qui jamais ne s'enquit de notre état pas plus que de celui des lieux.

À la fin de l'hiver, après une longue agonie oxygénée, l'une des veuves victimes d'un pneumocoque, Edmonde Clarence, s'éteignit alors qu'une infirmière venait vérifier le bon fonctionnement de son appareillage. Sa fille arriva à *L'Excelsior* quelques minutes plus tard, mais le plus dur était déjà fait.

À bas bruit, tous ces événements cheminaient en moi. Je voyais se désagréger notre petite communauté et ma position en son centre me prédestinait à devoir les endurer. Et c'était parfois à mon tour de frapper certains soirs à la porte de Kieran Read pour lui livrer une part de ce que je voyais, de ce à quoi je pensais.

J'essayais de tenir Winona à l'écart de ce petit monde qui n'était rien pour elle, sinon un club de copropriétaires, lesquels, si l'on y réfléchissait, n'auraient pas fait de vieux os dans ses forêts.

Tant d'hivers passés ici, entre ces murs. Et aussi d'automnes et d'étés.

Le temps filait et je ne pouvais voir le monde que du sommet de mon toit ou du fond de la piscine. Passaient les années, et mon emploi de serviteur modèle détricotait mes jours.

Le début de juillet fut marqué par toute une série de problèmes techniques qui parurent s'être concertés pour enrayer presque simultanément plusieurs rouages de notre mécanique. Les ascenseurs d'abord. Les portes s'ouvraient, se fermaient, mais la cabine restait immobile dans sa cage. Défaut de la carte-mère régissant les protocoles de montée et de descente des engins. Conséquence, vraisemblablement, de l'effraction des glaces de l'hiver, la moitié des moteurs des extracteurs se mit à chauffer et à griller. Des journées à réparer sur le toit qui, en cette saison, était une fournaise. Enfin quelques jours plus tard, la défaillance complète de tous les systèmes d'ouverture électronique de l'immeuble. Au soir d'une journée harassante, alors que je rentrais tout juste chez moi, le téléphone sonna. « Qu'est-ce qui se passe, Paul ? Tout est en panne en ce moment. Les gens m'appellent pour se plaindre. Qu'est-ce que vous faites, vous maîtrisez la situation ou pas ? Il faut tout remettre en ordre au plus vite. On m'a dit que vous changiez tous les extracteurs. Ça va nous coûter une fortune, tout ça. Vous passerez en fin de semaine me montrer les factures. Les types qui s'occupent des digicodes sont passés ? Non, non, Paul, il faut les relancer, soyez ferme, je ne vais quand même pas faire ça à votre place. » Sedgwick. Dans tout son registre. Sedgwick tirant sur les rênes de son régisseur, le remettant en ligne et dans l'allure, lui rappelant qui mène et qui monte.

Le pire événement de cette sombre année eut lieu durant la première semaine du mois d'août. Afin de réparer les dégâts causés par l'hiver sur un angle de façade au niveau du cinquième étage, j'avais mandaté une entreprise spécialisée qui avait envoyé trois maçons pour rejointoyer des briques de parement que le gel avait fracturées. Une semaine de travail. Un échafaudage tubulaire avait été installé et le service météo, hormis un léger risque d'averse, annonçait un temps clément jusqu'au terme du chantier.

En cette fin de matinée, je passais la tondeuse sur les abords herbeux proches de l'entrée principale. Malgré mon casque antibruit et le ronflement de la machine, j'entendis le cri.

Il était allongé sur le sol dans une position incompréhensible, incompatible avec celle que peut adopter un squelette humain. Il tentait de respirer mais n'y parvenait que très difficilement. Je n'osai pas remettre de l'ordre dans ce corps désossé. Je pris sa main, geste que j'avais fait tant de fois dans l'année. Au-dessus de ma tête, ses copains de chantier criaient qu'il était tombé. Ils criaient vers moi en penchant leurs corps au-dessus des garde-fous de la structure, une quinzaine de mètres plus haut. Je connaissais un peu l'homme à terre. Nous avions échangé quelques paroles à son arrivée. Je me souviens qu'il m'avait dit habiter à Laval et passer tous les jours une heure sur l'autoroute Décarie pour se rendre au travail. Une conversation de début de chantier.

J'appelai les secours tout en lui serrant la main, le réconfortant de paroles inutiles. Combien de fois avais-je ainsi assisté des malades et des mourants, ces derniers temps ? Plus tard, Sedgwick se chargerait de me faire remarquer que ce n'étaient pas là les prérogatives d'un superintendant. En haut, les maçons pétrifiés fixaient la scène. À chacune de ses respirations, l'homme à terre ne parvenait à aspirer qu'un mince filet d'air. Son visage prenait une étrange coloration, sa main toujours dans la mienne se contractait de spasmes irréguliers. Malgré ce corps désarticulé où plus rien ne semblait à sa place, il fit un effort pour soulever sa tête, ouvrit grand ses yeux, et me dit sa dernière phrase d'homme vivant : « Mon chien est tout seul chez moi. » Et ce fut fini. Sa nuque retomba sur le sol de telle façon qu'ainsi allongé, il semblait regarder ses amis, tout là-haut.

Malgré l'absurdité de la tâche, les sauveteurs tentèrent des massages cardiaques soutenus par des défibrillations et une ventilation de la victime. Ils faisaient ce à quoi on les avait formés, ce travail effectué dans le noir qui précède la nuit et qui consiste à réanimer les morts.

À ceux qui plus tard emportèrent son corps, je transmis son dernier message en me permettant d'insister. Son chien était tout seul chez lui. Il fallait prévenir quelqu'un. La glissière remonta sur le *body bag* et l'homme en mille morceaux, ce soir-là, ne rentra pas chez lui dans ces alignements grouillants qui engorgeaient Décarie.

À 21 heures, Sedgwick frappa à ma porte avec une poigne d'huissier. Il ne me demanda pas comment l'homme avait pu tomber, ni s'il avait souffert, ni s'il fallait prévenir quelqu'un. Il avait seulement en main le contrat de police d'assurance de l'immeuble et voulait simplement avoir des précisions sur nos niveaux de responsabilité en cas d'accident du travail avec des prestataires extérieurs. Lorsqu'il les obtint, il se détendit un peu. « Si j'ai bien compris, Paul, en principe, c'est réglé, on est clean. Bon. On n'a rien à voir là-dedans. C'est bien l'assurance du patron du mort qui gère le dossier. En tout cas, nous, il faut que nous fassions un retour d'expérience de cet accident. Toujours vérifier les conditions d'exercice et de responsabilité des entreprises qu'on engage. Pourquoi vous les aviez choisis, eux ? Combien de fois ils ont travaillé pour nous ? Trois fois en dix ans. À partir d'aujourd'hui vous les rayez de nos listes. À part ça, le boulot est fini ? Non, non, non, vous les rappelez et vous leur demandez de boucler le chantier dans les délais. S'ils ont un type mort, c'est triste, tout ce que vous voudrez, mais c'est à eux de trouver une solution et de le remplacer. »

Sedgwick. Immarcescible *Gauleiter*. Salopard incandescent.

Cet épisode me rendit l'homme définitivement odieux et infréquentable. Kieran Read et une dizaine d'autres copropriétaires se cotisèrent pour acheter des fleurs et me mandatèrent pour les porter aux obsèques du maçon. Read m'accompagna et nous nous retrouvâmes, une poignée d'inconnus et le chien du défunt, rassemblés au pied d'une tombe du cimetière de Laval. Je déposai les fleurs. Le nom du disparu était gravé sur la pierre tombale. Jérome Aldegheri.

Deux jours plus tard, Sedgwick me convoqua dans son appartement. Il était outré que je me sois rendu aux obsèques du maçon. Et tel un propriétaire terrien furieux, il tança son métayer. « Il faut que les choses soient claires une fois pour toutes, Paul. Je ne vous paye pas pour assister à des obsèques ou passer la moitié de vos journées à jouer les auxiliaires de vie dans les étages. Je vous rappelle que votre travail s'arrête au seuil des appartements. Et il appartient à chaque copropriétaire de régler par lui-même ses problèmes de santé ou de dépendance. Il y a des associations et des organismes pour ça. Votre travail à vous, c'est la maintenance de l'immeuble, pas celle des gens qui y habitent. Et vous n'avez à prendre aucune initiative personnelle sans m'en parler. Par exemple porter des fleurs aux obsèques d'un ouvrier qui a travaillé chez nous pendant moins d'une semaine. Vous avez des appareillages, un jardin, des communs, un garage et une piscine pour vous occuper, ça ne vous suffit pas ? À propos de la piscine, un point de règlement : comme cela est spécifié dans votre contrat, ni vous ni votre femme n'y avez accès. Vous serez aimable de le préciser à madame Hansen. Quant à votre chienne, elle doit être tenue en laisse dans les couloirs de l'immeuble. Et elle n'a pas accès au jardin. Pour résumer, l'assistanat, c'est fini et vous reprenez votre rôle de surintendant pour lequel je vous paye assez cher. Chaque semaine, vous me fournissez le relevé de vos dépenses et nous verrons par la suite quels sont les postes que nous allons diminuer, voire supprimer. Je veux que cet immeuble soit opérationnel vingt-quatre heures sur vingt-quatre. Ses habitants, eux, quel que soit leur état, n'ont pas à vous distraire de votre tâche. Quant à moi, j'ai été élu pour garantir la bonne marche de *L'Excelsior* et croyez-moi, à partir d'aujourd'hui, j'aurai toujours un œil sur votre emploi du temps et tous les dollars que vous dépenserez. »

Je sortis humilié, fracassé de ce face-à-face. Et ce ne sont pas les réponses rugueuses que j'opposai ce jour-là à Sedgwick qui me rendirent quelques fibres de dignité. Le soir, je racontais tout cela à Winona et Read en leur annonçant mon désir de démissionner. Ils tempérèrent mes humeurs, parlèrent d'autre chose, mangèrent un morceau de pizza, puis ma femme et moi nous sommes sortis, avec la chienne, marcher le long des rues, en cette nuit d'été.

Dès le lendemain, le hasard, le destin, le malheur, peu importe, se chargea de nous rappeler à tous, sans fléchir un instant et de façon péremptoire, qu'il résidait toujours dans l'immeuble, qu'il était maître de notre temps. Et quoi que raconte Sedgwick, qu'il allait falloir encore compter avec lui.

Monsieur Seligman logeait au troisième étage avec sa femme. Il était retraité de la compagnie électrique Hydro Québec. Il aimait toutes sortes de choses – les bagels, le pastrami, le foie haché, le hockey, les blagues juives et surtout son 4×4 Lexus. Deux fois par semaine, les lundis et vendredis, il descendait au garage, amenait son véhicule jusqu'à l'espace de lavage, tirait le rideau de protection et entamait pour près d'une heure des travaux de nettoyage et de cosmétique. Il aspirait ses moquettes, graissait le cuir de ses sièges, et lustrait tout ce qui ne demandait qu'à briller. Plus prosaïquement, je travaillais sur une canalisation d'eau chaude à quelques pas de cet endroit dédié à la propreté automobile.

Quand il m'avait vu juché sur mon escabeau, monsieur Seligman, interrompant son ouvrage, était venu me saluer et échanger quelques mots. Avant de retourner à son travail, il n'avait pu s'empêcher de me raconter une de ses histoires qu'il gardait toujours en bouche :

« Un type joue au golf avec trois rabbins qui réussissent tous des coups formidables alors que lui ne s'en sort pas. Il demande aux rabbins quel est leur secret. Et ils lui répondent : "C'est très simple : on va tous les jours à la synagogue et on prie avec ferveur". Le type file à la synagogue la plus proche de chez lui et se met à prier avec ferveur. Il s'y rend tous les matins, s'adresse à Dieu avec dévotion pendant une année, l'implore d'améliorer ses coups, mais son jeu reste toujours aussi misérable. Il revient voir les trois rabbins, toujours aussi flamboyants sur le parcours, et leur explique que malgré ses prières et tout le cœur qu'il y met, il joue toujours aussi mal. Les rabbins se concertent et l'un d'entre eux lui demande : "Sans indiscrétion, dans quelle synagogue allez-vous ?" Le type répond : "Celle d'Outremont." Le rabbin sourit : "Mais c'est normal que vous ne progressiez pas, celle-là c'est pour le tennis." »

Fier de son petit succès, riant toujours sans retenue de son propre humour, Thomas Seligman, que l'on eût dit taillé dans un bloc de gentillesse et d'optimisme, me glissa malicieusement : « Une autre blague demain, Paul, demain. » Puis il retourna lustrer sa Lexus.

Parfois, je trouve que la vie me choisit pour d'étranges assignations. Comme recueillir, plusieurs fois en une seule année, les derniers mots de tous ces gens qui m'entourent et quittent la vie au moment où ils croisent ma route.

C'est le jet puissant du pistolet de lavage giclant sous la bâche de protection qui m'incita, au bout d'un moment, à aller voir ce qu'il se passait derrière.

Seligman était allongé dans un ruissellement d'eau mêlée de détergent. Ses yeux regardaient fixement le néon du plafond.

Après avoir écarté le rideau, je décidai d'entamer un massage cardiaque sauvage, ignorant tout de ses règles. Une voiture entra dans le parking, un homme en descendit et se dirigea vers nous. C'était Sedgwick. Il me trouva encore une fois loin de mes tâches, à genoux devant un mort, essayant maladroitement de le réanimer, de le ramener parmi nous, veille de shabbat, pour qu'il puisse terminer le travail qu'il avait commencé. Pétrifié, l'administrateur resta muet, incapable d'aider, de prendre la moindre initiative. J'ai gueulé : « Vous savez faire ça ? Oh ! Vous savez ou pas ? » Il fit non de la tête. J'ai dit : « Appelez les secours. Vite ! Merde ! » Il a sorti son téléphone, composé un numéro, puis, attendu, immobile, inutile, que quelqu'un décroche.

« Je viens de regarder un truc incroyable à la télé. Un documentaire sur "l'Âge sombre". Tu connaissais ça, toi ? Ça fout une angoisse du diable. Ils disent qu'au tout début du machin, il y a 300 ou 400 mille années après le Big Bang, je ne suis plus sûr des chiffres, je m'y perds, c'est comme avec les zéros des *subprimes*, mais en fait ça change pas grand-chose. En tout cas, après la fameuse explosion qui a tout fait péter dans l'univers, le ciel a refroidi et tout a été plongé dans le noir complet. Mais noir-noir. Tu imagines l'ambiance ? Zéro vie, zéro rien. Putain quand tu vois ça, tu fais pas le malin et tu te dis qu'on revient de loin. T'as déjà pigé le truc de l'infini, toi ? Moi, jamais. Un truc qui finit pas ça rentre pas dans ma tête. C'est obligé qu'il y ait une fin quelque part. Simplement, on y est pas encore allé. Sauf que si tu y arrives, au bout, c'est obligé, tu te poses la question : y a quoi après le bout ? Un bout sans fin ? Et c'est reparti. »

Parfois, Patrick revient de ses campagnes télévisées dans tous ses états. Généralement quand il regarde des émissions de vulgarisation scientifique, qu'il suit avec une attention soutenue. Soumis à ce bombardement d'informations complexes il n'en retient parfois que le shrapnel. Il n'y a pas si longtemps, il a vu quelque chose à propos de météorologie et de mécanique des fluides, évidemment illustré par l'image du battement d'ailes du papillon à Montréal qui engendre un typhon à Taïpei. « C'est un truc de fou ce machin. Après ça, c'est sûr, t'oses plus bouger. Je sais, c'est juste un truc pour imager le système, te dire que tout se tient, mais quand même, vaut mieux pas trop les agiter les ailes, on sait jamais. C'est ça, tu vois, que j'aurais dû faire, même, si j'avais été moins con. Étudier. En plus, ça me plaît d'apprendre tous ces trucs sur le monde ou le mauvais temps. C'est vrai quand tu regardes ça, tu te sens plus instruit. Remarque, après une bonne partie de manivelles pendant un Canadien de Montréal-Bruins de Boston, t'as pas avancé d'un pas dans la vie, mais t'as quand même bien rigolé. Tu sais à quoi je pense, là ?

Comme je suis détendu, on pourrait peut-être retenter la coupe de cheveux. »

La dernière tentative, au soir de la première visite de Patrick chez Sauvage, avait été un échec. Comme avant une opération d'importance, je dispose les instruments sur la tablette et le patient prend place sur le tabouret. Il ôte son filet protecteur. Les ciseaux pénètrent dans leur domaine et, du bout des lèvres, rabotent tout ce qui doit l'être. Quand la tension est trop forte, Patrick se met en apnée et je cesse aussitôt toute activité. « Putain, tu fais ça comme ma mère. On dirait ma mère. » Et doucement, imperceptiblement, les lames tranchent à nouveau, glissant sur le cheveu sans jamais l'agresser, filant sur la tranche, et le taillant en sifflet sans même qu'il s'en aperçoive. Au sol, les mèches accumulées matelassent les contours du tabouret. J'ai vraiment le sentiment d'accomplir un grand œuvre, de rivaliser avec le savoir-faire d'une mère, et d'offrir à son fils un visage neuf et adouci. « T'y es arrivé, mec. Putain, on l'a fait. Ça, c'est grand. Pour moi, c'est aussi puissant que l'Âge sombre ou le truc des papillons. La coupe entière et j'ai même pas eu besoin de me coucher par terre. C'est la première fois de ma vie. C'est con, mais ça me fout les larmes aux yeux. »

Je nettoie la masse de poils qui jonche le sol. « Non, non, tu touches pas ça, je m'en occupe. » Avec un soin méticuleux, Patrick ramasse ses cheveux, les glisse dans un petit sac-poubelle qu'il entoure de sa ficelle avant de le ranger dans la boîte à secrets cachée sous son lit.

L'avion, le tracteur et l'attente

Chaque escapade aérienne que je m'accordais avec Winona et Nouk m'offrait une réserve de bonheur et de courage pour supporter les tristes vicissitudes de mon travail. L'ambiance, dans l'immeuble, était devenue éprouvante et une forme de défiance générale, instillée par l'administrateur au fil de son mandat, s'était propagée dans tous les étages. Peu à peu, chacun s'était mis à surveiller l'autre, veillant scrupuleusement à l'application de chaque point de règlement, fût-il absurde ou improductif. D'année en année, les assemblées générales donnaient lieu à des prises de parole vétilleuses, mesquines, délivrant des décharges agressives pour des sujets notoirement insignifiants. Je devais m'expliquer devant l'assemblée sur le motif de telle ou telle dépense, le choix d'un fournisseur ou la facture d'un prestataire. Des gens qui n'avaient jamais mis un pied dans un local technique me questionnaient sur les besoins de notre électrolyseur en grammes de sel par litre d'eau, pour mettre ces résultats, après de misérables heures de calculette, en rapport avec ma commande globale de chlorure de sodium pour toute la saison.

Le début de ces années 2000 fut un véritable florilège d'exercices de médiocrité dans lesquels chacun semblait brûler d'exceller. L'un des épisodes les plus flamboyants, et sans doute le plus ridicule, fut celui des papiers de bonbons. À plusieurs reprises durant ma tournée du matin, je remarquai plusieurs emballages de friandises disséminés dans les couloirs du troisième étage. Le lendemain, d'autres cellophanes avaient remplacé les précédents. Et cela se reproduisit encore dans la même semaine. Je nettoyai au fil des jours sans me demander quel gourmand pouvait être à l'origine de semblables éparpillements. Huit jours plus tard, nouvel épisode de semailles. Mais cette fois les papiers étaient ventilés dans tous les étages, et même dans les ascenseurs. L'idée me vint alors de visionner les bandes vidéo de l'immeuble pour découvrir l'auteur de cette mauvaise farce. Les images étaient consternantes. Elles montraient Hugo Massey, un retraité de soixante-six ans, et son voisin de palier Dorian West, cinquante-huit ans, négociant en automobile, installés depuis peu, errant tels des spectres matinaux et jetant un peu partout leurs épluchures sucrées, d'abord à leur étage, puis en gratifiant tous les niveaux de l'immeuble. Ils se livraient à leur petit trafic infantile tous les matins vers 5 h 30, comme en témoignait le time code des lecteurs. J'imagine qu'à pareil moment, ils espéraient pouvoir éparpiller tranquille. C'est-à-dire que cette paire de vieux merdeux se levait de conserve aux aurores pour se livrer à ce pitoyable trafic. Dans quel but ? Me piéger, me tester, me discréditer, sans doute, si je ne ramassais pas leurs miettes ? Ces imbéciles avaient simplement oublié les caméras, ce système de surveillance dont ils payaient pourtant tous les mois l'entretien. J'allai au supermarché le plus proche acheter deux gros sacs de bonbons. Sur chacun j'épinglai un mot, « Merci pour ces formidables vidéos. Le concierge », et déposai mes présents devant leurs portes respectives.

À dater de ce jour, les couloirs retrouvèrent leur propreté et toute trace de consommation de sucreries disparut de la surface de notre petite terre. Quand ils me croisaient, West et Massey me saluaient avec une gêne palpable que je laissais fondre lentement, comme une gourmandise.

Noël 2005. Pour la première fois depuis bien long-temps, je quittai l'immeuble pour une semaine. En cette période de l'année, nombre de résidents migraient vers le sud, les plages de Cuba, de Floride ou du Mexique. Ils allaient là-bas pour se gorger de cette éclatante lumière que les tentures de l'hiver avaient ici fait disparaître. Read, lui, était allé passer les fêtes à Boston, chez une amie dont je ne sus véritablement quel rôle elle tenait dans sa vie.

Pour abriter ces quelques jours de congé que nous devions passer ensemble, Winona avait loué un chalet « quatre saisons » au-dessus du lac Fraser, au nord du parc national de la Mauricie et emprunté un Beaver pour la semaine. L'avion avait troqué ses flotteurs pour ses patins d'hiver et pouvait ainsi glisser comme une pierre de curling sur le ventre des pistes enneigées. Voir piloter ma femme accentuait encore l'amour que je lui portais. J'aimais plus que tout ces heures passées dans les airs à admirer son savoir-faire, son calme quand l'avion commençait à partir dans tous les sens, son art de reprendre une trajectoire, de garder un cap malgré les vents cisaillants, et enfin de nous déposer au sol, Nouk et moi, avec toute la douceur que lui permettait cette vieille carlingue rustique de 1947. Sur l'eau comme dans les airs, sur la glace ou au travers des nuages, Winona semblait douée des mêmes facultés que son ami le colibri, capable de décoller en un clin d'œil et de voler dans tous les sens. Comme celui de l'oiseau, son cœur savait aussi s'adapter aux circonstances du moment, accélérant dans la passion, ralentissant pour rendre justice à la raison. Il était infiniment facile d'aimer une femme pareille, de partager ses réveils, de se coucher près d'elle et de ressentir que ce seul moment magique signait la fin de l'Âge sombre. Ma femme était à la fois la cape, la baguette, le lapin et le chapeau. Comment la même femme pouvait-elle conduire un avion, m'aimer, sauver sa chienne, supporter *L'Excelsior*, jaillir des neiges et des eaux, croire au pouvoir d'un oiseau tout en donnant à chacun l'envie de vivre et le goût du bonheur ? Je l'ignorais.

Le vol de Noël 2005 vers le nord appartient à ces moments de grâce que l'on connaît quelquefois dans le cours d'une vie. Malgré un temps glacial, la visibilité était cristalline et l'on avait l'illusion d'apercevoir, mirage arctique, les terres lointaines du Nunavut. À 3 000 mètres d'altitude, à cette période de l'année, après de sévères chutes de neige, le Québec ressemblait à une immense surface cotonneuse. Les innombrables lacs de ce territoire avaient totalement disparu sous la glace et les accumulations nivales. Outre l'audacieuse beauté du tableau, cette uniformité rendait toute orientation extrêmement difficile, et je me demandais par quel mystère Winona parvenait à trouver ses repères dans cet énorme gâteau de sucre glace. Son appareillage me semblait rudimentaire, plus adapté, me semblait-il, au vol à vue qu'à la navigation aux instruments. Mais elle ne semblait nullement inquiète, tournant parfois sa tête vers la queue de l'avion comme l'aurait sans doute fait un colibri avant d'enclencher la marche arrière. Au bout de deux heures et demie de vol, le Beaver piqua du nez, décrivit ensuite une trajectoire de descente plus arrondie, se présenta face à une étendue vierge que rien ne distinguait d'une autre, et posa ses patins, sans à-coups, imprimant dans la neige l'empreinte de sa longue caresse. Quand l'avion s'arrêta, je vis une solide maison de rondins dont la cheminée fumait. Nouk bondit de la carlingue et se mit à courir dans la neige.

L'intérieur de la maison était accueillant, chaud, et l'on eût dit que ses habitants ne s'étaient absentés que pour un instant. Sur la table centrale, une bougie parfumée Winter White diffusait des odeurs mêlées de miel, de pomme et de cannelle. Tels étaient les miracles de Noël dont Winona était capable. En pénétrant dans cet endroit avec Nouk et mon Indienne magique, je n'aurais pas été autrement surpris si, à cet instant, une petite horde de loups, ceux-là mêmes qui nous ont appris à parler et à nous tenir en ce monde, avait poussé la porte pour venir partager avec nous un verre de bienvenue. Cette femme était exceptionnelle, elle aimait, réfléchissait, analysait, comprenait ce monde au premier regard et je crois que durant toutes ces années de vie commune, je ne la vis jamais atteindre son seuil d'incompétence. Cette nuit, je la tins dans mes bras jusqu'à ce que le sommeil nous assomme, tandis que Nouk surveillait le feu, la porte, la bougie et les étranges bruits que produisent les humains quand ils se livrent à des excentricités qui de son point de vue ne ressemblaient à rien.

Cette semaine glissa sur nos vies, lissa nos fatigues et nos cernes, nous aida aussi à prendre conscience d'où nous venions et de ce que nous étions devenus. Winona était plus près de ses forêts que je ne l'étais de Skagen ou du quai Lombard. Chaque jour, elle survolait son histoire et ses terres tandis que je vieillissais sous les serres délétères de *L'Excelsior*. Pourtant, je ne regrettais rien de cette vie qui n'avait pas l'air de grand-chose, mais qui me suffisait.

Quand le temps le permettait, Winona m'emmenait avec Nouk marcher dans la forêt, me montrait des traces d'animaux qu'elle identifiait d'un simple regard, m'apprenait à m'orienter dans ce labyrinthe de glace, à écouter le bruit du vent ou le message lointain d'un animal. Je la suivais sans tout comprendre, mais j'avançais tandis que Nouk, à son affaire, ouvrait la marche, attentive à toutes les indications silencieuses que pouvait lui fournir ma femme. J'aimais ce monde-là, économe de mots, vigilant, où l'intelligence retrouvait ses traces ancestrales, ses réflexes et ses observations qui l'avaient sauvée en ces temps où nous ne parlions pas encore.

Winona, le soir, me parlait de sa famille qui s'était dispersée et qu'elle ne voyait pratiquement plus. Elle évoquait la vie quotidienne des Algonquins avant que les missionnaires ne viennent éreinter les règles et les croyances d'un très vieux monde et briser à jamais une continuité. Au soir du 24 décembre, avant la messe, des membres de plusieurs tribus chantaient désormais en chœur des cantiques de Noël. *Gloria in excelsis deo. Minuit chrétien. Stille Nacht, Heilige Nacht.*

Elle me raconta aussi la fabuleuse histoire de son oncle Nathorod, ce qui, dans la langue native, veut dire « petit tonnerre le fils de la terre ». Tout le monde l'appelait Nat. Vivant dans une région reculée, marié et père de trois enfants, Nathorod n'eut d'autre solution pour nourrir sa famille que d'aller travailler là où l'on offrait des emplois. D'abord mineur dans le Yukon, il avait ensuite récolté du tabac, loué 50 hectares qu'il avait cultivés en élevant des animaux, mais tout cela était insuffisant. Il s'était alors fait engager comme routier dans une compagnie de transports qui reliait Toronto à Vancouver. Le trajet devait être effectué en quatre jours, ce qui laissait bien peu de temps pour le repos. Au moment de sa retraite, Nathorod rendit les clés de son Mack et revint parmi les siens. Mais il se sentait vieillir et savait que son temps était d'autant plus précieux qu'il était désormais compté. Et un matin, il sut que le jour était venu.

La voix de Winona ouvrait doucement, une à une, les portes de cette histoire. « Mon oncle a réuni toute la famille et leur a dit ceci : "Je travaille pour vous depuis toujours. Et c'est normal. Mais aujourd'hui, je suis un vieil homme et j'ai décidé de faire quelque chose pour moi, pour moi seul. J'ai décidé de traverser le Canada avec mon vieux tracteur, de l'océan Pacifique à l'océan Atlantique. 8 000 kilomètres avec mon vieux John Deere. Cela prendra le temps que ça prendra." Ensuite, Nathorod a fait transporter son tracteur par un ami à Horse Shoe Bay, tout près de Vancouver. Là, il a reculé sa machine jusqu'à ce qu'elle soit au bord de l'eau, jusqu'à ce que ses roues arrière trempent dans le Pacifique. Puis il a démarré, cap vers l'est. Pendant quatre mois, à 10 ou 15 kilomètres à l'heure, quel que soit le temps, il a roulé comme ça, pour voir, comme il disait "à quoi ressemblaient les routes et les hommes de ce pays, mais aussi parce qu'avant de mourir je voulais faire quelque chose que personne n'avait fait". Durant le trajet il a connu toutes sortes d'aventures et de mésaventures. Arrivé presque à l'autre bout du monde, à Saint Johns, Terre-Neuve, mon oncle s'est arrêté à l'instant où ses roues avant sont entrées en contact avec l'océan Atlantique. Et là, il a eu un réflexe inouï. Comme il ne voulait pas que quiconque puisse un jour mettre sa parole en doute, il a demandé à un témoin d'attester ce à quoi il venait d'assister, de signer le document et de le dater. Bien que d'une importance toute relative, ces papiers étaient la chose la plus mémorable, la plus précieuse de sa vie. Et il parlait souvent de ce fameux témoin, monsieur Hautshing, je me souviens parfaitement de son nom. Bien des années plus tard, il m'a emmenée dans son garage, là où il garait son vieux complice John Deere, il a soulevé une bâche sur une étagère et en a sorti deux bidons remplis d'eau. Sur l'un, en grosses lettres, était écrit "Océan Pacifique", sur l'autre, "Océan Atlantique". Il m'a montré ces deux jerrycans, et m'a dit : "C'est moi qui les ai remplis, à chaque bout de ce pays", et ses yeux se sont gonflés de larmes. Voilà l'histoire du voyage de mon oncle Nat. »

J'eus alors l'impression que Winona refermait un grand livre d'images, un conte merveilleux que l'on lit aux enfants pour qu'ils fassent de beaux rêves, sans doute le conte le plus touchant, le plus émouvant, le plus édifiant que j'aie jamais entendu.

« Tu sais ce qui s'est passé le jour de son enterrement ? Comme il l'avait demandé avant de mourir, une fois que son cercueil fut descendu en terre, ses enfants s'approchèrent de la fosse et vidèrent à l'intérieur le contenu des deux bidons. »

C'est à peine si l'on entendait le souffle du feu. De temps en temps, le crépitement d'un résineux lui donnait un supplément de vie. Dehors, la tempête de neige annoncée avait commencé. Winona enfila son anorak, ses bottes fourrées et s'enfonça dans la nuit, cernée par les averses blanches, pour vérifier le bon arrimage du Beaver. Elle sembla prendre la mesure des amoncellements, puis, lentement, semblant regretter de ne pas rester davantage dehors pour profiter de la valse des flocons, elle retourna vers notre maison. Nouk vint fourrer son museau sous mon bras et, au passage, Winona m'embrassa, me laissant en tête-à-tête avec son oncle Nathorod brandissant les eaux océaniques qui s'écartèrent, un jour, pour lui laisser le passage.

« Comme je sens que mon procès va pas tarder, je voudrais ton avis. Est-ce que tu penses pas que ce serait plus malin pour moi de plaider coupable ? Attention, crois pas que j'ai fait quoi que ce soit dans ce truc. Je suis innocent plus que jamais. Mais comme je sais que les juges, ils ont la tête tordue, je me dis que toi, peut-être, tu aurais une idée à me donner. Je veux pas dire par là que toi, t'as aussi le casque vrillé, c'est pas ça du tout, mais comme t'es malin, que tu calcules tes coups, tout ça, je me disais que tu avais un avis. »

J'ai surtout la conviction intime que Patrick a envoyé son ami l'indicateur *ad patres*, et qu'il cherche une issue pour se faufiler hors d'un mauvais dossier dans lequel il figurait en bonne place. « Plaider coupable, est-ce que ça peut faire aussi le mec qui veut bien reconnaître un bout, mais pas tout ? Je t'explique : dans mon histoire, le mort, je le fréquentais, ok. Je savais que c'était une balance, encore ok. J'admets aussi que je lui mets un pain dans la gueule. Jusque-là, pas de problème. Mais après, stop. Ce qui arrive ensuite, moi, j'y suis pour rien. Quand il prend la 9 mm dans la tête, je suis déjà très loin. Tiens, presque pour ainsi dire chez moi. Compte dix bonnes minutes de route. Alors comment je peux être soupçonné ? C'est là qu'intervient le truc de plaider coupable pour un bout de l'histoire, juste le début. Ça s'appelle comment en justice une moitié de plaider coupable ? »

Au vu de ce que Patrick m'a montré de son dossier et des témoignages qui y figurent, je pense qu'un « demi de plaider coupable », formule à mon sens inédite dans un prétoire, s'appelle se foutre de la gueule du tribunal, pour employer la terminologie hortonienne.

« En fait, à part deux ou trois conneries, je crois qu'ils n'ont pas grand-chose contre moi. En leur faisant mon truc, je leur offre une porte de sortie, c'est une expression qu'emploie toujours mon avocat. Il me dit, monsieur Horton, il faut toujours offrir une porte de sortie à un juge, sinon il se braque. Pour en revenir à mon truc, donnant-donnant, j'avoue mes conneries et le juge me condamne à la peine que j'ai déjà faite. On se serre la main et salut Françoise ! Qu'est-ce que t'en penses ? Moi, à mon avis, c'est correct. Surtout quand tu sais qu'en plus, à part le pain, je suis complètement innocent. »

Patrick est dans un de ses mauvais jours, ces mauvaises passes où toutes sortes d'idées ou de pensées parasites colonisent son esprit, altèrent son jugement et son bon sens. Dans ces moments-là, mieux vaut laisser s'échapper la vapeur et attendre que la pression retombe. C'est sans doute un protocole que j'aurais moi-même dû suivre, le jour où, à *L'Excelsior*, ma vie a basculé du mauvais côté, d'autant que, lorsque je me suis retrouvé ensuite devant le juge, je n'ai même pas eu la présence d'esprit de plaider « à moitié coupable ».

Le début de l'année 2006 fut pour moi une véritable épreuve. Comme l'avait prévu Kieran Read, après quelques années de rodage, le *cost killer* était en train de donner sa pleine mesure, vérifiant ici, coupant là, et multipliant les ajouts inutiles dans les paragraphes des règlements intérieurs qui, depuis sa nomination à la présidence, prenaient des allures d'annuaires téléphoniques. Nous ne vivions plus dans un immeuble mais dans une sorte de principauté despotique dont le prince décidait de tout. Et le plus surprenant était bien que l'ensemble des résidents se soumette de bonne grâce à ces caprices de petit monarque où j'étais le souffre-douleur tout désigné, en tant que premier sujet chargé de dépenser les joyaux de la couronne. Sedgwick, adepte compulsif des notes de service, me reprochait d'acheter trop de sel pour le bassin, trop de produits d'entretien ménager, de ne pas suivre précisément les préconisations du constructeur concernant les périodes d'entretien de la tondeuse à gazon, de mettre un niveau de thermostat trop élevé pour la production d'eau chaude alors que la température était édictée par le conseil d'administration lui-même, de ne pas sortir les poubelles assez tôt, de les rentrer trop tard, de ne pas toujours tenir ma chienne en laisse dans le couloir lorsque je la sortais pour sa promenade. J'éprouvais une telle honte à recevoir ces notes que je les dissimulais à la vue de Winona et n'osais pas en parler à Read. Je pense que Sedgwick « calculait avec dix-sept coups d'avance », comme disait Patrick, et que sa stratégie – me pousser à la démission pour me remplacer par des prestataires de service – était depuis longtemps arrêtée dans son esprit.

Mon travail de maintenance et de réparations surtout, qui avait été longtemps pour moi source de satisfaction comme peut la ressentir un artisan une fois son travail accompli, ne représentait désormais qu'une série de procédures effectuées en aveugle, et sans véritables perspectives. Je ne voulais plus discuter de rien, me contentant de suivre bêtement des feuilles de route qui menaient tout droit la principauté vers son déclin.

Je ne répondais plus aux demandes personnelles qui « sortaient du cadre de mes attributions ». Les propriétaires me proposaient de l'argent pour effectuer les petits dépannages, que j'effectuais jadis gratuitement. Je ne pouvais dès lors que les éconduire et les diriger vers un réparateur. La plupart du temps, ils prenaient très mal mon refus et en faisaient une affaire personnelle. D'affable chambellan sous le règne d'Alexandre, je devins très vite l'acariâtre concierge du mandat sedgwickien. Je ne le savais pas encore, mais dès le début de cette année-là, pour moi, le compte à rebours avait été enclenché.

Tout cela n'était rien à côté du malheur qui allait anéantir à jamais une part de moi-même et qui m'est encore aujourd'hui aussi insupportable qu'au premier jour. Au soir du drame, bizarrement, la seule personne à qui j'ai pensé, dont j'aurais eu besoin pour qu'elle me prenne dans ses bras, fut mon père Johanes Hansen, le pasteur dont je porte le nom. Ce soir-là, je me souviens de lui avoir fait explicitement une demande que je n'avais jamais formulée de son vivant : « Papa, cette fois, aide-moi. » Je ne sais pas s'il y avait quelque chose à faire, mais j'espérais un miracle qui nous sauve de ce naufrage en nous disant que tout était fini, que rien n'était arrivé, que nous allions tous rentrer chez nous, dîner ensemble et ensuite éteindre les souvenirs et les lumières d'une mauvaise journée.

Le samedi 12 août 2006, Winona se leva de bonne heure. Je ne sais pas si elle m'embrassa comme elle avait coutume de le faire quand elle partait avant moi. Elle avait rendez-vous à 8 heures à l'hydrobase pour conduire trois pêcheurs et leur matériel sur les rives du lac Mistassini, près de Chibougameau, à deux heures et demie de vol au nord de Montréal. Son Beaver décolla à 9 heures de la rivière des Prairies et l'avion s'éloigna avec à son bord, comme c'était le cas à chaque sortie, des types tout excités de se retrouver entre hommes, emportant dans leurs bagages leur supplément de testostérone et ce qu'il fallait de bière et d'appâts vivants pour convaincre les poissons.

Passa la journée et vint le soir. Quand le réseau le permettait, Winona avait pour habitude, au moment de rentrer, de m'appeler pour me dire qu'elle allait décoller, à quoi ressemblait la météo et vers quelle heure elle serait à la maison. Aux alentours de 20 heures, sans nouvelles, j'appelai Pradier, le gérant de la compagnie Beav'Air qui me dit qu'il attendait l'avion mais n'avait pas davantage d'information.

La nuit descendit, allumant un à un tous les grands immeubles d'une ville qui longeait le fleuve en tenue d'été. À l'ouest, les derniers feux du couchant, et ici, devant ma fenêtre, les braises de l'angoisse. Il n'y avait aucune raison plausible et raisonnable pour que Winona ne soit pas encore rentrée. Son retour aurait dû avoir lieu aux alentours de 17 heures. Si elle n'avait prévenu personne, c'est qu'un incident l'en avait empêchée. Aux alentours de 22 heures, Pradier m'annonça qu'il avait réussi à joindre l'un des pêcheurs, lequel lui avait confirmé que Winona les avait déposés vers midi avant de repartir du lac vers Montréal à 13 h 30. Il a simplement ajouté : « Maintenant, je crois qu'il faut que j'appelle pour lancer des recherches. »

Je passai la nuit dans le noir, assis sur le canapé, le téléphone serré dans une main. Nouk se pressait contre mon flanc. Pour la première fois, elle n'avait pratiquement pas touché à sa nourriture du soir. Dans son avancée inexorable, le rouleau compresseur des heures écrasait toutes les parcelles d'espérance qui pouvaient encore subsister en moi. Quand le jour entra à nouveau chez nous, je sentis que Winona était morte, que tout était fini, que ma femme ne reviendrait jamais ; et que, cette fois, le colibri avait perdu son pouvoir et ses ailes. À un moment ou à un autre, le téléphone sonnerait, une voix dirait : « Vous êtes monsieur Hansen ? » Ensuite ce qu'elle raconterait n'aurait absolument aucune importance.

Read, qui avait entendu les nouvelles aux informations, était venu partager mon attente. Il ne dit pas grand-chose et prépara du café que nous avions bu en silence à petites gorgées.

Un hélicoptère et un avion militaire patrouillèrent tout au long du couloir aérien que l'avion était censé avoir emprunté. Sans résultat. Le lundi, de nouvelles recherches furent interrompues par un puissant orage d'été accompagné de vents violents. Je ne sortais de mon appartement que pour laisser la chienne faire ses besoins, puis nous rentrions dans notre grotte cacher notre peine et nos peurs. Nouk ne dînait pratiquement plus. Elle, d'habitude si pleine de vie et d'énergie, semblait déjà porter un invisible deuil. Elle ne me quittait pas, non pour se rassurer, mais plutôt pour me réconforter. Je rentrais mes doigts dans ses longs poils, je serrais son poitrail, sentais battre son cœur contre mes mains. Je ne pouvais faire rien d'autre qu'enfouir mon visage dans son pelage, lui dire que je l'aimais et pleurer. Je savais que Winona était morte. Elle avait disparu dans la chute et l'écrasement du Beaver. Son corps était prisonnier de l'avion au fond d'un lac. Ou encore carbonisé dans l'explosion de la carlingue. En fait, je ne voulais rien savoir des circonstances, car la lente reconstruction du drame se mettrait ensuite en marche, et surtout l'avalanche de questions sur l'état du corps, le saccage du visage, le supplice des chairs, l'éclatement des os, et surtout les invisibles boîtes noires de l'esprit qui jamais ne restitueraient les mots, les pensées, la fureur, la panique et la douleur des dernières secondes, celles où l'on commence, avant même le fracas, à comprendre que l'homme et la chienne appartiennent déjà à l'autre monde, celui où il faut bien se réconforter en se racontant des conneries sur la puissance des oiseaux, la patience des loups, la bienveillance des dieux, le dressage des lapins d'église et jusqu'à la solidité des avions, même si chacun sait depuis toujours qu'ils « ont parfois la réputation d'être traîtres, de décrocher à basse vitesse et que leur récupération est réputée hasardeuse, voire dans certains cas fatale ».

Je ne voulais pas penser à tout cela, héberger cette masse de questions, ce flot d'inutiles hypothèses, de mots à peine savants, juste aboutés, collés les uns aux autres pour tromper l'attente, élever un mur de fortune, à la va-vite, entre soi et la nouvelle qui vient, et dont chacun sait pourtant qu'au dernier moment, elle balayera d'un mot cette maigre défense.

L'information est arrivée le jeudi en tout début d'après-midi. On a sonné à l'entrée. Deux membres de la Gendarmerie royale du Canada.

« Je suis venu vous faire part de l'état des recherches. L'épave de l'avion a été découverte ce matin vers 8 h 30 près de l'île aux Cèdres sur le lac Kempt, à une heure de vol de Montréal. Apparemment l'avion a tenté un atterrissage d'urgence, mais ça s'est mal passé. Les équipes sont sur place pour récupérer le corps de votre femme. Elle est malheureusement décédée. On viendra vous chercher dès que nous l'aurons rapatriée à Montréal. Nous sommes vraiment désolés. Tristes et désolés. »

Les deux gendarmes me faisaient face. J'ai essayé de leur dire un mot, mais ce n'était pas possible. Quelque chose était sorti de moi, s'enfuyant à toutes jambes, droit devant, quelque chose que je conservais pourtant depuis l'enfance, sans doute une part de moi-même qui depuis ce jour-là n'est jamais revenue. J'ai donc regardé les gendarmes, tenté d'appuyer ma main droite sur l'un d'eux, senti le poids du monde m'écraser et privé du soutien de mes jambes, je me suis lentement affaissé à leurs pieds.

À la morgue, je pense que chacun avait fait son possible pour que je puisse reconnaître le corps mutilé de Winona. On ne m'a présenté que son visage de suppliciée, je n'ai pas détourné le regard, je suis resté un moment à côté d'elle pour graver en moi chaque parcelle de ce que le malheur m'avait laissé, et quand mon cœur fut près d'exploser, je suis sorti.

De son côté, Read avait réussi à identifier un membre de la lointaine famille de Winona et cet homme s'était déplacé. Il s'était présenté à moi comme un vague cousin du côté de son père. Nous ignorions tout l'un de l'autre et n'avions pas grand-chose à nous dire, sauf l'essentiel.

« Winona Mapachee était la fille du deuxième frère de mon père. On est allés à l'école ensemble, et puis on s'est tous un peu perdus de vue. Quand on a su ce qui était arrivé, mon vieux père a dit : "Va là-bas et demande à cet homme s'il accepte que nous ramenions le corps de cette enfant sur ses terres, que nous l'enterrions ici, chez elle." C'est ce qu'il a dit. Et je suis venu vous voir pour vous faire cette demande. »

Je ne sais pas ce qu'aurait voulu ma femme, et rien n'est plus vain que de vouloir penser à la place des

214

morts. Alors j'ai laissé parler mon cœur, et il a dit que oui, que vous pouviez la ramener chez elle, parmi les siens. Mais je ne ferai pas le voyage vers le nord. Je vous laisserai le soin de la conduire, de la préparer et de la célébrer dans la nuit de sa tombe. Je vous laisserai même son oiseau et vous le glisserez auprès d'elle. Et je garde tout le reste. Ces onze années d'un bonheur vitaminé, onze années dévorées de la terre jusqu'au ciel, grâce à cette incroyable fille du deuxième frère de votre père. Elle a été cette personne auprès de laquelle j'ai toujours essayé de me tenir droit, dans la neige et les forêts, les étés et les orages. Partout je la suivais. Elle possédait le don de révéler la meilleure part de chacun. Je vous laisse ce corps que l'avion a brisé mais je garde tout le reste. À chacun son héritage. Il est terrible à partager. Conduisez doucement.

Durant la semaine qui a suivi la découverte de l'avion, je suis resté cloîtré dans mon appartement. Je ne me suis pas occupé une seule seconde de *L'Excelsior*. Aucun résident ne s'est présenté à ma porte. Nul n'est venu prendre de mes nouvelles. Pour me changer les idées, Read m'a informé que Sedgwick avait lui-même affiché un nouvel addendum au règlement régissant l'usage des chaises longues « qui après usage ne doivent jamais être laissées sur les parties gazonnées ».

La moiteur de l'air s'insinuait partout. Winona était sans doute déjà dans la terre. Cette idée m'était insupportable. À certaines heures je voulais bondir dans la voiture et aller la reprendre aux Indiens. À d'autres moments, je l'imaginais allant en paix parmi les siens et l'esprit des ancêtres, racontant, par exemple, que là où, elle, pouvait discerner quatre-vingts sortes de neige, l'homme blanc, lui, ne voyait que des « accumulations ».

Nouk marchait dans mes pas et, si elle l'avait pu, aurait vécu en moi. Nous sortions la nuit pour de longues marches dans les rues et le parc Ahuntsic. Quand la température était étouffante et l'air gorgé d'humidité, comme souvent à cette période de l'année, la chienne courait et s'arrêtait à la lisière du grand bassin du parc. Elle trépignait d'impatience et me regardait fixement de ses yeux noirs qui me disaient clairement : « Je peux y aller ? » Je me rapprochais d'elle, caressais son visage attentif et répondais « Vas-y ! » D'un bond Nouk se jetait dans les eaux, les sillonnant d'un bout à l'autre, comme si, quelque part dans ce bassin, la vie d'un noyé en dépendait. Dans ces moments fugaces, elle et moi ressentions exactement la même chose, ce sentiment, qu'en nous, pour quelques minutes, revenait un peu de joie et de bonheur.

Retour à Skagen

À *L'Excelsior*, chaque heure, chaque jour de travail était devenu pour moi un fardeau. Je continuais à monter sur mon toit, faire mes rondes d'inspection, écouter mes rotors, et peser mon sel au trébuchet comme on le doit dans les arrière-cours de la haute-cuisine. Sedgwick s'acharnait à ausculter le livre des dépenses et à codifier et disperser çà et là ses notes de lecture. Kieran Read, qui avait pris sa retraite, passait de plus en plus de temps le soir en ma compagnie, pour essayer de me tracter jusqu'à un restaurant indien ou un film argentin. Mais je n'étais jamais aussi apaisé que lorsque je retrouvais ma chienne Nouk, qui m'accueillait à chacun de mes retours comme si je revenais d'une expédition lointaine.

Je pensais parfois à monsieur Seligman, me demandant s'il existait quelque part dans cette ville une synagogue où l'on pouvait s'améliorer dans l'exercice du veuvage, à l'instar du golf ou du tennis, une synagogue où le rabbin s'en tiendrait à la philosophie de base de mon ami Horton : « La vie, c'est comme les canassons, fils : si elle t'éjecte, tu fermes ta gueule et tu lui remontes dessus tout de suite. »

Contre toute attente, c'est le travail, en 2007, qui m'aida à me redresser, à reconquérir un peu de dignité, à me battre contre les délires autoritaires de Sedgwick. Durant l'hiver, après un dimanche de travail acharné, au sous-sol, j'étais parvenu à réalimenter le soir même tout l'immeuble en eau chaude. En plein mois d'août, après soixante-douze heures de mesures et d'ajustements constants, j'avais sauvé la baignade des soixante-huit propriétaires et les 230 000 litres de la piscine, vouées à l'égout quelques jours plus tôt par la société qui gérait l'entretien du nouveau système. En quelques mois, au grand désarroi de celui qui pensait en avoir fini avec moi, je redevins cette espèce de faiseur de miracles, cet « Edward aux mains d'argent » qui taillait les arbustes au cordeau, disciplinait les tuyaux et ressuscitait les eaux.

Le soir, mes retours à l'appartement me ramenaient brutalement sur cette terre, et ma porte ouvrait sur un intérieur dévasté depuis le 12 août de l'année 2006. Je préparais quelque chose à manger, et Nouk et moi, côte à côte, partagions le même repas dans nos écuelles.

L'hiver 2008 fut sans doute l'un des plus neigeux de l'histoire de ce pays. À Québec, il tomba 2,50 mètres de neige durant la période et il en alla de même pour Montréal. Il m'arrivait de passer notre petite déneigeuse-souffleuse deux fois par jour pour débloquer les entrées et les accès de *L'Excelsior*. Pour vérifier mes extracteurs, sur le toit, j'avais dû creuser de véritables tranchées dans les amas de neige, sentiers indispensables qu'il fallait, eux aussi, déblayer chaque matin à la pelle. La seule à se réjouir de ces incessantes tombées, c'était Nouk qui, au parc Ahuntsic, ne plongeait plus dans le bassin mais se roulait, et parfois même disparaissait, dans des montagnes de neige vierge pour s'en extraire et courir ensuite à en perdre haleine.

L'été de cette année-là fut aussi celui des excès. De température comme d'humidité. On avait l'impression, surtout la nuit de vivre sous un couvercle, de mijoter à petit feu dans nos vapeurs et nos humeurs. Toute la seconde partie du mois d'août se déroula dans ces conditions et Read choisit de s'exiler chez son amie bostonienne qui possédait aussi un pied-à-terre à Rexhame Beach. Parfois il m'appelait à la tombée de la nuit et le simple son de sa voix avait le pouvoir de m'apporter une bouffée d'air océanique.

Une nuit, n'y tenant plus, étouffant dans mon petit appartement du rez-de-chaussée, j'ai enfilé mon maillot de bain et pendant que tout le monde dormait vers 2 heures du matin, je me suis rendu à la piscine dont le système d'éclairage était éteint.

J'ai pénétré dans l'eau, mon eau, celle que je maintenais à flot et renouvelais depuis tant d'années, mon eau traitée au sel, électrolysée, filtrée, au pH ouaté, une eau auprès de laquelle j'avais passé tant de jours et tellement de nuits, surveillant ses équilibres biologiques et sa bonne température de 84,2 degrés Fahrenheit. Je suis entré dans cette eau comme on pénètre dans son domaine. Je l'ai sentie enserrer ma taille, couvrir ensuite mes épaules et mon dos, s'enrouler autour de mon cou et submerger ma tête. Depuis plus de vingt ans que je travaillais ici, c'était la première fois que je me glissais dans ce merveilleux territoire qui m'était pourtant interdit. Je nageais sous l'eau, en apnée, profitant de ce bain miraculeux. J'aimais cette eau et je sentais que cette eau m'aimait aussi. Sa « texture », comme me disait souvent monsieur Sibélius, était légère, aérienne presque, comme oxygénée par une infinité de microscopiques bulles. De temps en temps je remontais à la surface prendre de l'air, avant de redescendre brasser ces fonds où j'avais tant travaillé. Pour la première fois depuis toutes ces années, je transgressais la règle et c'était merveilleux. Je ne saurais dire combien de temps dura ce bain, mais lorsque j'en sortis, je me souviens d'avoir maudit Sedgwick et sa mesquinerie pour avoir privé Winona de ce plaisir toutes les années qu'elle avait passées ici. Ce que ne pouvait pas savoir ce petit sergent d'immeuble, c'est que l'été, au gré de ses trajets, et tandis que lui montant la garde au pied de son immeuble rôdait comme un cerbère, ma femme, immergée dans son monde, se baignait dans les plus beaux et les plus sauvages lacs du pays.

De retour à l'appartement, je pris Nouk avec moi et allai la rafraîchir dans l'eau du pédiluve. Nous nous sommes endormis tous les deux, rafraîchis, heureux, comme deux petits cambrioleurs au terme de leur journée.

Deux jours plus tard, je reçus un appel de Sedgwick : « Paul, vous devez voir un fournisseur demain matin ? Vous les appelez et vous annulez. Je vous demanderai de vous présenter demain à 10 heures dans la salle du conseil. J'ai demandé une réunion exceptionnelle du bureau et de tous les copropriétaires pour statuer sur un point de règlement vous concernant. Demain, 10 heures. »

Je crois qu'il ne manquait personne. Tous les étages. Toutes les portes. Les *single*, les couples, âges et générations mêlés. Sedgwick présidait, entouré de ses deux assesseurs prêts à le suivre jusqu'au bout du monde. « Bonjour à tous. Cette réunion concerne un point de règlement majeur qu'a transgressé Paul Hansen, notre surintendant. Durant la nuit de mardi à mercredi, vers 2 heures du matin, et alors que son contrat interdit de façon non équivoque cette possibilité, monsieur Hansen, à l'insu de tous, s'est baigné dans notre piscine. Les caméras de surveillance attestent cette infraction. Et comme si ce non-respect du règlement ne suffisait pas, il est revenu quelques instants après son bain accompagné de sa chienne qu'il a immergée dans le pédiluve. » Comme un frisson d'hiver, une rumeur désapprobatrice a parcouru la salle. La dégradation publique produisait son petit effet. Dans sa langue procédurière, Sedgwick poursuivit son réquisitoire : « Faisant cela, monsieur Hansen, vous avez commis une faute professionnelle grave, rompu unilatéralement votre contrat et, surtout trahi la confiance que nous tous ici vous accordions. En trempant votre chien dans notre pédiluve vous avez, de surcroît, ignoré les règles d'hygiène élémentaire que j'ai édictées concernant l'usage de la piscine et fait courir un risque à tous les copropriétaires. Pour toutes ces raisons qui contractuellement vous excluent, je demande que soit prononcé ce jour votre licenciement, lequel prendra effet à la fin du mois de septembre. Vous recevrez alors ce qui vous est dû et devrez rendre les clés de votre logement. Avant de mettre cette proposition aux voix, avez-vous quelque chose à ajouter, monsieur Hansen ? » Comme cela se produisait parfois dans les églises de mon père, la petite foule émit alors un murmure dont on ne savait s'il était d'ordre compassionnel ou s'il n'était que l'expression d'un petit râle de désapprobation.

Que pouvait-on dire ou répondre ou ajouter après avoir entendu une chose pareille, un réquisitoire brodé des plus beaux fils de la mesquinerie ? Plus de vingt ans de loyaux services, d'heures de travail démultipliées, une forme de servage à tous les étages, la vie du jardin, la bataille des eaux, les campagnes contre l'hiver, les papiers de bonbons, le soutien aux malades, les réanimations, les extrêmes-onctions, les enterrements, tout cela livré à l'oubli pour un bain de minuit.

Du fond de la pièce s'éleva une voix, celle de Johanes, comme à ses plus belles heures, cette voix qui faisait remonter les mineurs des puits, qui parlait plus haut, plus fort et plus longtemps que les explosions de la mine, qui criait aux oreilles des chevaux sur les champs de courses, cette voix qui m'avait vu naître, grandir et qui jamais ne m'avait fait défaut, cette voix qui aujourd'hui encore était là pour prendre le fer, tailler dans la bêtise, l'ignorance et la méchanceté, cogner le crétin, pourfendre l'abruti, et me sauver des eaux.

J'aurais aimé que Kieran Read fût, ce jour-là, revenu de Boston. Sans doute aurait-il, lui aussi, mené une charge contre l'affluence, l'attaquant sur tous ses flancs. Mais non, il n'y eut pas de bataille ni même l'ébauche d'une défense de ma part. L'unanimité moins quatre voix me donna trente jours pour fourrer mes souvenirs, ma chienne et le peu qui me restait de dignité dans une camionnette de déménagement. Je sortis de la salle sans avoir prononcé un seul mot. J'avais l'impression que mon cerveau était verrouillé, qu'il ne pouvait rien produire d'intelligible, sinon me faire secrètement éprouver un terrible sentiment de honte. Ce jour-là, comme de la mauvaise bile, une phrase tourna toute la journée dans ma bouche, elle disait ce qu'elle avait à dire, et recommençait, puis se répétait encore. Elle sortait d'un livre d'histoire de mon père dans lequel un évêque catholique connu pour son mépris, et évoquant les résistances du bas-clergé, conseillait à un alter ego de rudoyer la piétaille sans ménagement : « Tu verras, l'humain est docile. »

À la fin de la réunion, Sedgwick s'adressa à moi : « Bien sûr, Paul, tout cela n'a rien de personnel, mais il y a des règles auxquelles nous devons tous nous conformer. Je suis sûr que vous comprenez. » Et il partit avec sa suite prétorienne siéger sans doute dans une autre cour, ailleurs, dans son monde de gardes-frontières et de greffiers chargés de chasser, de consigner et de sanctionner tous les bains de concierges en été.

Parce que tel est mon caractère, je poursuivis mes maintenances tout en remplissant, le soir, mes premiers cartons. Nouk, qui se demandait ce qui se préparait, reniflait les boîtes les unes après les autres et manifestait une certaine inquiétude.

Une fin d'après-midi toujours aussi moite, je finissais de tondre une parcelle du jardin lorsque Sedgwick s'avança vers moi, à grands pas, hors de lui. Mon casque antibruit ne me permit pas d'entendre le début de ses vociférations. Mais la suite fut tout à fait claire : « Combien de fois faut-il vous répéter les choses, Hansen, pour que vous compreniez ! Qu'est-ce que vous avez dans la tête ! On vous fout dehors pour faute grave et trois jours après vous recommencez. Vous êtes un abruti ou quoi ? » Sans doute l'étais-je pour avoir supporté cet homme aussi longtemps. Et je l'étais encore davantage parce que je ne comprenais pas le moins du monde ce qui, en cet instant, avait pu soulever chez lui une telle bourrasque de colère. « Regardez où est votre chien, Hansen ! Couché dans l'herbe ! Près des érables ! » Nouk était bien près des arbres, allongée à l'ombre, dans un coin de verdure à essayer de récupérer un brin de fraîcheur. Elle avait dû me suivre et ne pas lire les interdits du règlement, les alinéas régentant la vie des hommes certes, mais plus précisément celle de leurs animaux. Hors de lui, Sedgwick dit alors quelque chose qui réveilla en moi l'éducation que m'avaient prodiguée les loups. Il dit : « Foutez-moi ce putain d'animal

dehors ! Je ne veux plus le voir dans cet immeuble !
C'est clair ? Dehors, tous les deux, au plus vite ! »
C'est alors que les loups m'ont montré le chemin. J'ai
bondi sur l'administrateur, je l'ai percuté et fait rouler
jusqu'aux margelles du bassin. Ensuite je sais l'avoir
frappé, fort, longtemps, sans discernement, avec toute la
sauvagerie de la meute, j'ai senti ou entendu le bruit de
deux os qui se brisaient, et je me suis encore acharné,
jusqu'à finir par le mordre, à l'épaule, assez profondément pour pouvoir lui arracher un morceau de chair.
Je tenais un morceau de Sedgwick dans ma bouche et
ça n'avait strictement aucun goût, sinon une écœurante
saveur de mauvais sang. Je l'entendais hurler, il récla-
mait quelque chose que je ne pouvais plus lui donner, de
la pitié ou quelque chose d'approchant que l'on retrouve
dans les manuels de piété. Il me suppliait de je ne sais
quoi, appelait sans doute à l'aide, sa garde, ses armées,
mais personne ne venait. Je l'ai traîné jusqu'au bord de
l'eau et, ensemble, comme deux baigneurs joueurs, nous
avons basculé au fond de la piscine. Il se débattait et
ses cheveux allaient de droite et de gauche comme des
algues balayées par les courants. Je le noyais lentement
en le regardant dans le flou de mes eaux, elles qui
n'attendaient que de pouvoir entrer dans ses poumons,
et en chasser à jamais toute trace d'air. À la surface
on devinait des silhouettes qui allaient et venaient et
j'entendais aussi les aboiements étouffés de Nouk et de
toute la meute des loups. Le temps n'avait plus de réalité
ni de consistance, seuls semblaient exister la texture de
l'eau et ces filaments de sang qui s'échappaient de la
morsure que j'avais infligée à l'épaule de notre maître.
Il se débattait comme le font les animaux qui veulent
encore vivre alors que les humains s'efforcent de les
noyer parce qu'ils n'en veulent plus. Cela faisait des

années que, sans m'en rendre compte, je gesticulais ainsi au fond de cet immeuble pathogène qui peu à peu m'avait dépossédé de tout. Cette fois, le maître et moi étions dans ce même bain qui m'était interdit, à armes égales, loup contre loup, avec juste ce qu'il faut d'air dans la poitrine pour s'accrocher encore quelques secondes à la vie, ces instants si précieux que l'on attend et redoute pendant toute son existence, ces moments ultimes pourtant si décevants, n'ouvrant jamais que sur les trompeuses perspectives du « théorème d'Horton », car, passé le temps infini de la noyade, rien, absolument rien, jamais ne recommence.

Au-dessus de moi, des corps se jetèrent à l'eau, empoignèrent mes bras, s'assurèrent de la possession de mon corps, me décramponnèrent de Sedgwick avant de m'immobiliser au sol. Ensuite je me débattis pareil à un animal pris au piège, hurlant sa douleur tout autant que sa rage puis, en un instant, ce fut la nuit la plus totale.

Je repris conscience le lendemain dans une chambre des urgences réservée à des patients sous responsabilité de la gendarmerie. Un médecin vint me faire un bilan de mon état de santé, et, un peu plus tard, un enquêteur m'informa de celui de Sedgwick. Fracture des deux bras, fracture d'un doigt, morsure avec arrachement des peaux au niveau de l'épaule, contusions multiples sur le thorax, blessures multiples au visage ayant nécessité vingt et un points de suture. « Le juge décidera, au vu des témoignages, si en plus de ces violences, vous pouvez être accusé de tentative de meurtre par noyade. Sitôt que vous serez remis vous serez transféré à la prison de Bordeaux. »

Nous étions à la mi-septembre. La surveillance d'un traumatisme crânien et une intervention chirurgicale dans la zone de mes lombaires me gardèrent alité, puis en observation, toujours dans cette zone hospitalière dédiée, jusqu'à la fin du mois d'octobre. Prévenu, Read était rentré de Boston aussitôt après le combat pour s'occuper de Nouk, enfermée dans mon appartement après l'incident. Et ils m'avaient rendu plusieurs fois visite.

Le 4 novembre au matin je fus présenté au juge Lorimier.

« Pour les violences, les coups et les blessures, je pense qu'il est inutile de perdre du temps. En revanche je voudrais vous interroger sur la poursuite de vos activités belliqueuses sous l'eau, puisque votre bagarre, ce qui est assez rare, s'est terminée au fond d'une piscine et qu'il n'a fallu pas moins de six personnes pour vous faire lâcher prise. Durant ces derniers échanges de coups où vous et votre partenaire étiez tous les deux sous l'eau, en apnée, aviez-vous l'intention véritablement de noyer monsieur Sedgwick ou bien cette ultime bagarre n'était-elle que la poursuite, disons sous-marine, de la précédente qui, elle, se déroulait sur la terre ferme ? » Je répondis à ses curieuses questions que je ne pouvais pas répondre, que je ne me souvenais plus de grand-chose, que j'étais inapte à juger de mes intentions réelles puisque je n'arrivais même pas à reconstituer les faits. « Six personnes. Six personnes pour vous décrocher de ce monsieur Sedgwick. Six. Et d'après leurs témoignages, elles ont dû batailler. Et la morsure : 6 centimètres par 5 centimètres de chair carrément arrachée. Vous vous rendez compte ? Je vois votre dossier, votre casier judiciaire vierge, un parcours professionnel sans tache, une famille respectable, un père pasteur à Thetford Mines, et je vois aussi qu'en plus de votre citoyenneté française vous êtes devenu canadien. Qu'est-ce qui vous est passé par la tête ? Vous n'avez rien voulu expliquer

226

à la police de votre différend avec votre employeur. Voulez-vous m'en dire un peu plus ? »

Il y a des choses qu'il vaut mieux garder pour soi. Ou partager avec sa femme, son père et sa chienne. Qui eux connaissent l'histoire, depuis son début, enfouie quelque part dans les sables de Skagen et n'auront, de toute façon, rien à juger.

Malgré les errements et les approximations de mon avocat flottant sous Prozac, Lorimier ne retint pas contre moi la tentative de meurtre et me condamna à deux années de prison ferme. Le soir même, au moment où Barack Obama leva les bras, j'entrai tête basse dans ma cellule de la prison de Bordeaux.

Un soir d'il y a un an, Sauvage me fit venir dans son bureau. Monsieur Read venait d'appeler pour que l'on me prévienne de la mort de Nouk. Une maladie du foie foudroyante. Dont il avait oublié le nom.

Cette fois il ne me restait plus rien, plus de famille, plus de liberté et plus de chienne. Je me mis à pleurer devant cet homme qui aimait les motos. Tout cela s'était passé hors de moi, loin de moi, et surtout je n'avais pas été là, tout à la fin, à ce moment où je savais qu'elle avait dû chercher mon flanc pour y enfouir son museau.

Je demandai à Sauvage si je pourrais assister à la crémation de ma chienne.

Il me répondit que non.

Je demandai à Sauvage si je pourrais garder ses cendres dans ma cellule.

Il me répondit que non.

Je demandai à Sauvage s'il pouvait prier Read de les conserver.

Il me répondit : « C'est à vous de faire ça. »

De retour dans ma cellule, la mort de Nouk réveilla en moi la mémoire de toutes les disparitions qui avaient jalonné mes dernières années. Et l'idée d'avoir laissé partir ma chienne seule me déchira le cœur, m'ôta toute pudeur, et je fondis à nouveau en larmes devant Patrick Horton. D'abord intrigué, inclinant la tête vers la droite puis vers la gauche, il se rapprocha lentement de moi, m'observa l'air soucieux, et tendit maladroitement ses bras vers moi comme le ferait une personne ne sachant pas trop comment s'y prendre pour calmer un bébé qui pleure.

« Putain, ça va me faire drôle. J'espère qu'ils vont pas me mettre le curé qui chopait des mômes pour te remplacer. Mais si, le mec dont on a parlé l'autre jour, cette espèce d'évêque qui faisait son marché dans les camps d'été de sa paroisse. Il mesure 12 mètres et a une gueule en sifflet, tu vois pas ? Tu te rends compte, tu chopes ta remise de peine alors que t'as même pas voulu parler de ton histoire avec l'évaluateur. Ce qui prouve bien que ces mecs-là c'est des brèles, y servent à rien. T'es une épée, mon pote, moi je te le dis, tu vas me manquer. Et t'as promis de donner des nouvelles, t'oublies pas. En plus, si t'as des tuyaux pour mon histoire de plaider à moitié coupable, tu te souviens de mon truc, hésite pas, balance-moi la combine. T'as intérêt à filer droit maintenant, sinon ils te refilent au condo direct, tu le sais ça. Tu oublies le mec à qui t'as raccourci les ailes et tu passes à la suite. Moi je la connais la suite. Je sais ce que tu vas faire en premier quand tu vas te barrer tout à l'heure. Tu veux que je te le dise ? Neuf mecs sur dix qui sortent d'ici, une heure après, tu les retrouves tous du côté de la rue Sainte-Catherine ou vers Hochelaga, à se faire tirer sur l'élastique. Mais toi, la seule chose que tu as en tête en ce moment, c'est d'aller chercher les cendres de ta chienne. Pas vrai ? »

Garé sur le boulevard Gouin, tout près de la rivière, non loin de l'hydrobase, Kieran Read m'attendait assis sur le rebord de l'aile de sa voiture. Quand il m'a vu, il est venu vers moi et m'a pris dans ses bras. À la main, j'avais mon sac de toile contenant tout ce que je possédais. L'entièreté de mon appartement avait été vidée et mes meubles ventilés à droite et à gauche par une sorte de liquidateur chargé de faire place nette.

« Vous allez venir à la maison pendant quelque temps, Paul. L'appartement est suffisamment grand et tout est prêt pour vous accueillir. »

Jusqu'à *L'Excelsior*, le trajet ne fut pas très long. L'affaire de quelques minutes tout au plus. Juillet débutait et le temps était splendide. Il me fallut quelques instants avant de pouvoir descendre de la voiture, avoir le cran de traverser mon garage, monter dans les ascenseurs, gravir les étages dans le silence des câbles, retrouver l'odeur forte des couloirs, découvrir le laisser-aller du jardin, apercevoir les petites imperfections de la piscine.

En deux années, une foule de petites choses avait changé. Je n'étais plus chez moi. L'immeuble lui-même ne m'avait pas reconnu.

Les cendres de Nouk étaient posées sur une étagère de bibliothèque dans la chambre que Kieran me destinait. Elles n'occupaient pas beaucoup de place. Je demandai à Read s'il avait lui-même assisté à la crémation. « Du début à la fin. Vous pouvez être rassuré. C'est bien Nouk, et elle est là tout entière. » Quand il fut sorti de la chambre, mon premier geste fut de prendre le bocal dans mes mains et de le serrer contre mon flanc.

Le soir, Read m'emmena dîner dans un nouveau restaurant qu'il avait déniché sur l'avenue Van-Horne. Il me parla de la maladie de ma chienne, m'expliqua qu'il était resté auprès d'elle jusqu'au dernier moment, puis il fut question de l'immeuble, de la hausse des charges, des guerres intestines, des carences de mon remplaçant, et de l'aura déclinante d'Edouard Sedgwick. « J'ai une question à vous poser, Paul, et elle tourne dans ma tête depuis votre départ. Dans le métier qui est le mien, vous le savez, j'ai été confronté à beaucoup de choses étranges. Mais c'est vraiment la première fois, je vous l'assure, que je vois un type capable de casser les deux bras de son adversaire en même temps, d'un seul élan. Avec, en plus, deux véritables fractures. Comment avez-vous réussi ce tour de magie ? » Je ne m'étais jamais posé la question en ces termes. Et je fus bien incapable d'apporter la moindre réponse à mon hôte. En revanche, sur le chemin du retour vers l'immeuble, je notai que Kieran était bien plus intéressé par le bris, somme toute commun, de ces membres, que par le fait que j'aie arraché avec les dents un bon morceau d'épaule à Edouard Sedgwick.

Nous en avons parlé toute la journée du lendemain. Et aussi durant celle qui a suivi. Lui pensait que c'était là prendre un risque inutile. Pour ma part, je jugeais cela comme l'acte fondateur de ma réinsertion. N'étant plus concierge de l'établissement, et profitant de mon nouveau statut d'invité qui m'y autorisait, je voulais, bien sûr avec l'accord de Kieran, faire deux ou trois longueurs de piscine sous le regard de Sedgwick, prendre un moment le soleil sur l'une des chaises longues, puis enfiler mon peignoir et remonter dans les étages, le front droit et l'esprit enfin lavé et débarrassé de toutes les nuits de colère et de haine qui l'avaient encombré.

C'était une journée idéale. Une fin d'après-midi brûlante avec un coefficient humidex vertigineux, l'heure où les guêpes venaient boire et les propriétaires rafraîchir leurs mauvaises pensées tout en cherchant des raisons d'en sécréter de nouvelles. L'heure où derrière chaque slip de bain se cachait un démon en puissance. Une heure qui m'était interdite, comme toutes les autres d'ailleurs. Pourquoi ? Parce que. L'heure où les crèmes protectrices avaient des réflexes de classe, où les Martini sentaient la fin de partie, où les plus vieux s'accrochaient à leur vie flottante.

Nous sommes arrivés côte à côte, par la grande porte du hall. Il était impossible de ne pas nous voir. Deux peignoirs d'un blanc à écorcher les yeux. Read, à qui j'avais confié ma tunique, alla s'installer sur une chaise longue.

Je suis passé à côté du pédiluve, et lentement, marche après marche, je suis entré dans l'eau. Avant de disparaître sous la surface, j'ai regardé autour de moi ce monde parfait qui m'entourait, ces alignements de propriétaires à l'horizontale. Rangés par ordre de taille ou d'importance. Tous ceux qui m'avaient exclu étaient là, huilés et rosissant comme de la vieille viande. De l'endroit où je les voyais, tous me paraissaient minuscules.

Sedgwick était à son poste, au centre, au milieu, au cœur de sa principauté. Le consul avait un visage de cire et une vilaine cicatrice sur l'épaule. Il me parut lui aussi tout petit, et « d'une quantité d'importance nulle » comme disait Johanes. Personne ne parlait. Tous les regards étaient fixés sur moi, comme si j'étais devenu une sorte de nord magnétique, comme si soudain l'axe du monde s'était déplacé. J'écoutai un instant la perfection de ce silence avant de m'enfoncer vers le fond des eaux. Je nageai en apnée le plus longtemps possible, pour que chacun en arrive à penser qu'il n'avait vu que mon spectre que la piscine avait fait disparaître en le diluant dans ses sels avant de l'expulser par la canalisation idoine. Lorsque mes poumons furent sur le point d'exploser, j'émergeai de l'eau comme un rorqual faisant provision d'air, avant de replonger vers les abysses. Je m'étais rasé de frais pour sentir la caresse de l'eau sur mon visage. C'est à peine si elle m'effleurait. Sa texture avait changé mais elle faisait son œuvre, lavait mon esprit, en filtrait les impuretés. Trois fois, quatre fois, je disparus avant de réapparaître. Au moment de quitter la scène, je regardai bien attentivement tous ces pauvres acteurs qui essayaient de tenir leur rang et de jouer au mieux leur rôle de complément. J'approchai du bord, pris appui sur la margelle, et, flottant entre deux eaux, dans l'enviable position du tireur couché, je regardai fixement Edouard Sedgwick. Ainsi que l'on examine un animal mort. Cette cure d'observation silencieuse dut lui sembler durer des siècles, mais il ne broncha pas, m'offrant simplement le délicieux spectacle de son orgueil brisé, de son épaule suppliciée.

Lorsque je sentis mon cœur battre en paix, je sortis lentement de l'eau, marche après marche, et dans l'herbe, les oreilles heureuses, la queue oscillante de joie, je vis Nouk, ma chienne, qui m'attendait.

M'allongeant sur la chaise longue près de Kieran, je l'entendis me dire : « C'était vraiment angoissant. On aurait dit une orque jouant dans un Marineland. »

Quelques instants plus tard, Sedgwick quitta son siège en faisant le grand tour par-derrière pour éviter d'avoir à nous croiser. Le voyant se retirer sans gloire, Read dit : « Vous savez quoi, Paul ? À la fin de l'année je me présente contre lui. »

Le temps de me réadapter à la vie sur terre, je restai une dizaine de jours à Montréal. J'allai chez Chapters acheter trois livres *Harley Davidson, l'histoire complète*, *Harley Davidson, Sportster* et *Transformez votre Harley,* tome un et deux.

J'ignorais combien d'années Patrick allait encore passer en prison, mais avec ces monographies, il avait de quoi s'évader de sa peine sous le nez de ses gardiens. Et, pourquoi pas, séduire Emmanuel Sauvage. Pour ma part, j'allais profiter de ma liberté et partir pour le Danemark. Pour combien de temps, je l'ignore, mais mon itinéraire me menait droit au ciel : Montréal, Genève, Oslo. Ensuite le ferry, la route, Aarhus, Randers, Aalborg, et tout en haut de la péninsule, Skagen.

Sans doute pour me laisser reprendre pied avant ce long voyage, Read avait eu la gentillesse de me laisser son appartement et d'aller à Boston. Il m'appelait tous les soirs et, redoutant un incident, me faisait promettre de ne pas retourner à la piscine en son absence. Je n'avais plus aucune raison d'y revenir. Ce qui devait être fait l'avait été.

Il ne me restait qu'une seule chose à accomplir. La veille de mon départ, je pris un taxi pour l'île Notre-Dame et l'immense casino de Montréal que Johanes n'avait jamais connu. Le confidentiel « Money Maker » qui avait précipité ses malheurs avant de disparaître avait fait place à cette imposante machinerie de la chance, cette usine du destin qui, sept jours sur sept, vingt-quatre heures sur vingt-quatre, recyclait les variables du sort, écornait les ailes du hasard.

Je montai le grand escalier sous une cascade de lumière. Joueurs d'un soir ou d'une éternité, ils rôdaient de table en table, animés d'ambitions sans doute déraisonnables, chacun ayant foi en cette petite lueur qui en eux ne s'éteignait jamais. Ils croyaient qu'un jour ou l'autre, cela arriverait, parce qu'ils avaient attendu toute une vie pour cela et qu'ils pensaient le mériter. *Muss es sein ? Es muss sein.*

Nouk, entre Johanes et Winona, m'attendait devant une table de roulette. Ils étaient les morts les plus vivants de ce monde. Les plus fidèles, les plus aventureux aussi. Ils avaient enduré les intestins d'Horton et les boyaux de la prison, le froid des cellules et la lenteur des jours. Sur cette île, dans ce fournil des défaites, ils m'avaient encore une fois fait la surprise. Ils savaient bien avant moi que je viendrais ici, pour venger Johanes à ma façon, solder ses comptes, nettoyer l'ardoise, remettre de l'ordre dans les chiffres.

Nous restâmes un long moment, tous les quatre, à laisser tourner le cylindre sur son tableau de bois, regardant valser la bille sur les cuivres du cadran, pendant que les hommes de bonne volonté poussaient leurs jetons. Ils espéraient s'en sortir en misant sur des numéros pleins ou à cheval, des carrés, des transversales ou des sixains, des pairs et des passes, des impairs et des manques, des rouges et des noirs. Le malheur offrait tout un choix de variables et de couleurs.

Mon père les avait toutes essayées, toutes mélangées, malaxées jusqu'à ce qu'il n'en reste plus rien, jusqu'à ce que, une nuit, une femme prenne son visage entre ses mains, l'embrasse et murmure : « Que Dieu, s'il vous voit, vous bénisse. »

J'étais bien. Je regardais les miens. Je pouvais sentir battre leur cœur et respirer leur souffle. Auprès d'eux je me sentais en paix. J'avais le sentiment qu'ils protégeaient ma vie, tous les trois à leur façon. Je voulais qu'ils sachent à quel point je les aimais.

Quand le maître de table dit : « Faites vos jeux », je mis 100 dollars de jetons sur le noir et quittai la pièce. Tandis que je m'éloignais, j'entendis : « Les jeux sont faits. » À l'annonce finale, « Rien ne va plus », je marchais déjà vers la rive du fleuve, laissant le croupier se débrouiller avec la suite.

Hier, avec les cendres de ma chienne, j'étais à l'heure pour l'embarquement. L'escale de Genève Cointrin. De longues heures d'attente pour changer de monde.

L'aéroport de Copenhague Kastrup, puis le bateau, la route entre les dunes et qui s'en va rétrécissant jusqu'à la pointe de la péninsule.

L'air qui fraîchit, l'éclat de la lumière, le partage des eaux, la rencontre des mers. Skagen.

L'hôtel. Le sommeil qui attend le Lorazepam. Les sales idées qui patientent puis vont et viennent dans la chambre.

Ensuite le jour se lève, comme sur les tableaux, éclairant délicatement les hommes et les bateaux, les dunes et les vagues.

Je marche dans la rue qui longe la mer. Elle s'appelle « Østre Strandvej ». « La route de la Plage de l'est ». Au loin, j'aperçois la grande bâtisse au toit rouge des Hansen. Elle fait face à la Baltique. Le vent courbe les arbres et souffle du sable qui s'accumule au pied des maisons.

Je respire l'air marin de ce nouveau pays. C'est tout ce que je possède.

Tout à l'heure, au bout de ce long chemin, j'irai saluer les miens, je frapperai à la porte d'entrée, quelqu'un m'ouvrira, et, comme me l'a appris mon père, je dirai : « *Jeg er Johanes Hansens søn.* »

« Je suis le fils de Johanes Hansen. »

Remerciements

Je voudrais dire toute ma gratitude à Aurélie, Laurence, Lydie, Virginie et Pierre, mais aussi à Jeanne, Nathalie K., Nathalie P., Pauline, Violaine, Anahid, Clément et bien sûr à Olivier. Après m'avoir accueilli aux Éditions de l'Olivier il y a bien longtemps, ils m'ont ensuite grandement soutenu et supporté, dans tous les sens du terme.

DU MÊME AUTEUR

Compte rendu analytique d'un sentiment désordonné, *Fleuve noir,* 1984

Éloge du gaucher dans un monde manchot, *Robert Laffont, 1986, et « Points », n° P1842*

Tous les matins je me lève, *Robert Laffont, 1988, et « Points », n° P118*

Maria est morte, *Robert Laffont, 1989, et « Points », n° P1486*

Les Poissons me regardent, *Robert Laffont, 1990, et « Points », n° P854*

Vous aurez de mes nouvelles, *Grand Prix de l'humour noir, Robert Laffont, 1991, et « Points », n° P1487*

Parfois je ris tout seul, *Robert Laffont, 1992, et « Points », n° P1591*

Une année sous silence, *Robert Laffont, 1992, et « Points », n° P1379*

Prends soin de moi, *Robert Laffont, 1993, et « Points », n° P315*

La Vie me fait peur, *Seuil, 1994, et « Points », n° P188*

L'Amérique m'inquiète, *Éditions de l'Olivier, 1996, Éditions de l'Olivier, coll. « Replay », 2017, et « Points », n° P2105*

Je pense à autre chose, *Éditions de l'Olivier, 1997, et « Points », n° P583*

Si ce livre pouvait me rapprocher de toi, *Éditions de l'Olivier, 1999, et « Points », n° P724*

Jusque-là tout allait bien en Amérique, *Éditions de l'Olivier, 2002, « Petite Bibliothèque de l'Olivier », n° 58, 2003, et « Points », n° P2054*

Une vie française, *prix Femina, Éditions de l'Olivier, 2004, et « Points », n° P1378*

Vous plaisantez, monsieur Tanner, *Éditions de l'Olivier, 2006, et « Points », n° P1705*

Hommes entre eux, *Éditions de l'Olivier, 2007, et « Points », n° P1929*

Les Accommodements raisonnables, *Éditions de l'Olivier, 2008, et « Points », n° P2221*

Palm Springs 1968 (photographies de Robert Doisneau), *Flammarion, 2010*

Le Cas Sneijder, *prix Alexandre-Vialatte, Éditions de l'Olivier, 2011, et « Points », n° P2876*

La Succession, *Éditions de l'Olivier, 2016, et « Points », n° P4658*

RÉALISATION : NORD COMPO À VILLENEUVE-D'ASCQ
IMPRESSION : CPI FRANCE
DÉPÔT LÉGAL : MARS 2021. N° 134438 (3041757)
IMPRIMÉ EN FRANCE